AR DAFOD GWERIN

AR DAFOD GWERIN

Penillion bob dydd

TEGWYN JONES

CYMDEITHAS LYFRAU CEREDIGION GYF

Cyhoeddwyd gan Gymdeithas Lyfrau Ceredigion Gyf.,
Blwch Post 21, Yr Hen Gwfaint, Ffordd Llanbadarn,
Aberystwyth, Ceredigion SY23 1EY.
Argraffiad cyntaf: Hydref 2004
Clawr meddal: ISBN 1-84512-017-5
Clawr caled: ISBN 1-84512-023-X
Hawlfraint yr argraffiad © 2004 Cymdeithas Lyfrau Ceredigion Gyf.
Hawlfraint testun © 2004 Tegwyn Jones
Cedwir pob hawl.
Ni chaniateir atgynhyrchu unrhyw ran o'r llyfr hwn na'i storio mewn system
adferadwy, na'i drosglwyddo mewn unrhyw ddull, na thrwy unrhyw gyfrwng,
electronig, peirianyddol, llungopïo, recordio, nac mewn unrhyw ffordd arall, heb
ganiatâd ymlaen llaw gan y cyhoeddwyr.
Dyluniwyd y clawr gan Adran Ddylunio Cyngor Llyfrau Cymru
Cefnogwyd y gyfrol gan Gyngor Llyfrau Cymru
Argraffwyd gan Creative Print & Design Cymru, Glynebwy NP23 5XW

I

Rhianydd a Wil

Hen goed tân yw'r gore i gynnu
A hen grud yw'r gorau i fagu,
Hen stôl gadair sy esmwythaf
A hen esgid wasga leiaf,
Hen gyfeillion rhowch i minne –
Nhw ddaw bellaf ar y siwrne.

CYNNWYS

RHAGAIR

Ymgais yw'r casgliad hwn i ddwyn ynghyd nifer o rigymau a phenillion gwerinol a gwledig eu naws a luniwyd i raddau helaeth iawn gan awduron anhysbys i ni bellach, ac a drosglwyddwyd, yn achos y rhan fwyaf ohonynt, o ben i ben dros sawl cenhedlaeth. Perthyn i'r traddodiad llafar a wnânt yn hytrach na'r traddodiad ysgrifenedig, a gellir honni mai tro ymadrodd annisgwyl, odl ddigri neu sylw gogleisiol, ac addasrwydd cyffredinol y cynnwys i brofiad y lliaws, yn hytrach nag unrhyw werth llenyddol mawr, a sicrhaodd eu goroesiad. Yn wir, prin bod dim yn bellach o feddwl eu hawduron syml – a di-ddysg yn amlach na pheidio, mae'n debyg – na cheisio ymgyrraedd at ragoriaeth lenyddol o'r fath. Arall oedd eu nod hwy: cofnodi teimlad neu chwiw'r foment, nodi rhyw ddoethineb yn deillio o hir sylwi, neu gynnig cyngor, efallai, a seiliwyd ar brofiad personol. Weithiau soniant yn annwyl neu'n ddigrif-feirniadol am eu cyd-ddynion, neu am eu hardaloedd eu hunain ac ardaloedd eraill. Adlewyrchir rhai o'u harferion gwerinol yn eu gwaith, a lluniwyd peth ohono yn unig fel cymorth i'r cof. Y mae'n fwy na phosibl mai pennill strae o gân neu faled hwy yw ambell un a geir yma, ond bod ynddo elfen neu elfennau a apeliodd at y cof gwerinol na cheid mohonynt yng ngweddill y gân, ac mai dyna a sicrhaodd iddo ei barhad; ond unedau annibynnol yw'r mwyafrif llethol ohonynt. Barddoniaeth bob dydd sydd yma – a defnyddio'r gair hwnnw'n llac; barddoniaeth sy'n cyffwrdd yn uniongyrchol â bywyd, ac arni gryn sawr y pridd hyd yn oed pan ddeuir ar ei thraws mewn hen 'emynau' cyntefig ac

9

mewn ambell bennill ar garreg fedd hynotach na'i gilydd. Ymddiddan 'y werin gyffredin ffraeth' â hi ei hun yw swm a sylwedd y casgliad hwn.

Pwysleisir mai detholiad yn unig ydyw, ac nid oes neb yn fwy ymwybodol na'r golygydd ei hun fod yna benillion a rhigymau lawer o'r un natur yn union na cheir mohonynt yma, a bod amryw o'r rhai a gynhwyswyd gan nodi'r ardal arbennig lle cofnodwyd hwy, yn gwahaniaethu'n sylweddol weithiau oddi wrth fersiynau sy'n gyffredin mewn ardaloedd eraill. Lle'r oedd hynny'n ymarferol, nodwyd rhai o'r gwahaniaethau neu'r amrywiadau hyn, ond yn ddiau fe gollwyd cymaint wedyn a mwy. Collwyd llawer, mae'n siŵr, am y rheswm syml na ddaethpwyd ar eu traws mewn pryd i'w cynnwys, ac yn ddiamau caiff y golygydd fwy nag un cyfle i wingo'n anghyfforddus pan adroddir iddo, ar ôl cyhoeddi'r casgliad isod, sawl enghraifft dda a ddylai fod yma ond a lithrodd trwy'r rhwyd. Hepgorwyd llawer am fod yn rhaid rhoi pen ar y mwdwl yn rhywle. Serch hynny, gobeithir bod digon wedi ei ddiogelu rhwng cloriau'r gyfrol i adlewyrchu'r cyfoeth a fu ac y sydd o'r briwsion blasus hyn.

Ceisiwyd dosbarthu'r deunydd yn ôl ei gynnwys, ond nid oes dim yn haearnaidd ynglŷn â hyn. Yn aml ceir person a lle a phrofiad yn yr un rhigwm, a 'theimlad' neu fympwy'r golygydd yn unig sydd i gyfrif am ei osod yn yr adran lle ceir ef. Ymgais at osgoi undonedd yn fwy na dim arall yw'r dosbarthiad. Ceisiwyd hefyd osgoi ailadrodd yn ormodol o gasgliadau cyffelyb o hwiangerddi, hen benillion, tribannau ac yn y blaen sydd eisoes mewn print, ond yma eto, yn enwedig ym myd yr hwiangerddi, llwyddodd mwy nag un enghraifft i ddianc drwy'r rhwyd.

Weithiau ceir cofnodi pennill neu rigwm mewn tafodiaith, ac yn naturiol ni cheisiwyd ymyrryd â'u horgraff hwy, na chwaith newid unrhyw ffurf lafar y dibynnai'r odl arni. Ar wahân i'r twtio, y cysoni a'r safoni y mae galw am eu gwneud wrth olygu gwaith fel hwn, gadawyd i'r penillion ddweud eu dweud, pob un yn ei ffordd ei hun.

Y mae arnaf ddyled i lawer a fu'n barod iawn eu cymwynas pan oeddwn yn cywain ynghyd y deunydd a welir isod, a braint yw cael cydnabod hynny yma. Ar ben y rhestr rhaid gosod Robin Gwyndaf a aeth i drafferth mawr i sicrhau fy mod yn cael pori'n ddilyffethair yng nghasgliad unigryw'r Amgueddfa Werin o benillion a rhigymau o bob math, pan dreuliais wythnos yno ym mis Ionawr 2004. Diolchaf yn ddiffuant iddo, nid yn unig am rannu â mi o'i wybodaeth a'i brofiad helaeth yn y maes hwn, ond am ei groeso a'i garedigrwydd personol. Bu cyfaill arall, Huw Ceiriog, mor hynaws â thaflu ei lygad barcud profiadol dros y deipysgrif, a bu'r gwaith ar ei ennill o'r herwydd. Diolch yn fawr iddo yntau. Diolch hefyd i Beti am ei hir amynedd. Fel arfer, ni chefais ond cymorth parod a chwrteisi ar law aelodau o staff y Llyfrgell Genedlaethol. Hyfryd yw cael diolch iddynt hwythau, ac i'r cyfeillion hynny, rhy niferus i'w henwi, a adroddodd benillion a rhigymau wrthyf a glywsent gynt gan eu rhieni a pherthnasau eraill, neu yn eu gwahanol ardaloedd. Bu Dylan Williams a'i staff yng Nghymdeithas Lyfrau Ceredigion yn gefn o'r dechrau cyntaf. Yn wir, Dylan a awgrymodd y byddai cael casgliad fel hwn yn beth dymunol, a phleser yw cael diolch iddo am y mwynhad a gefais wrth weithredu ar ei awgrym, ac am ei waith yn llywio'r gyfrol drwy'r wasg.

Tegwyn Jones
Bow Street, 2004

BYRFODDAU

AF	Eirwyn George (gol.), *Abergwaun a'r Fro*, Christopher Davies, 1986
ALEW	*Ar Lafar ei Wlad*, Cyfrol Deyrnged John Owen Huws, Gwasg Carreg Gwalch, 2002
ALlW: CA	Alun Llywelyn Williams, *Crwydro Arfon*, Llyfrau'r Dryw, 1959
ATD: CSG	Aneirin Talfan Davies, *Crwydro Sir Gâr*, Llyfrau'r Dryw, 1955
AWC	O gasgliad Amgueddfa Werin Cymru, Sain Ffagan
BLJ: BILlE	Bedwyr Lewis Jones, *Blas ar Iaith Llŷn ac Eifionydd*, Gwasg Carreg Gwalch, 1977
BLJ: ISF	Bedwyr Lewis Jones, *Iaith Sir Fôn*, Llygad yr Haul, Penrhosgarnedd, 1983
CA	*Cyfaill yr Aelwyd*, 1881–94
CD: HG	Cassie Davies, *Hwb i'r Galon*, Tŷ John Penry, 1973
CF: NC	Cledwyn Fychan, *Nabod Cymru*, Y Lolfa, 1973
CM	Llawysgrif yng nghasgliad Cwrt Mawr yn y Llyfrgell Genedlaethol. Pan na cheir rhif, cyfeirir at CM 117, sef casgliad David Evans, Llanrwst, 'o Benillion Cymreig Anghoeddedig . . . 1850'
CS: CCA	Catrin Stevens, *Cligieth, C'nebrwng ac Angladd*, Gwasg Carreg Gwalch, 1987
DG	*Dail y Gwanwyn*, Barddoniaeth, llên gwerin a straeon gan fechgyn Ysgol Lewis Pengam. Caerdydd, 1916
DJ: CCTA	Dewi Jones, *Cynghanedd, Cerdd a Thelyn yn Arfon*, Gwasg Carreg Gwalch, 1998

DJE: HCS D. J. Evans, *Hanes Capel Seion*, Aberystwyth, 1935

DJW: HDFf D. J. Williams, *Hen Dŷ Ffarm*, Gwasg Aberystwyth, 1953

DLlB Trebor Lloyd Evans (gol.), *Diddordebau Llwyd o'r Bryn*, Tŷ John Penry, 1966

DR: YWD Dafydd Rowlands, *Yr Wythfed Dydd*, Christopher Davies, 1975

DT Papurau David Thomas (1866–1940), cyn-Arolygwr Ysgolion. Llyfrgell Genedlaethol Cymru

EE: HRh Ellen Evans, *Hwiangerddi Rhiannon*, Hughes a'i Fab, 1926

EG: AHBR Elfed Gruffydd, *Ar Hyd Ben 'Rallt*, Gwasg Carreg Gwalch, 1999

EG: Ll Elfed Gruffydd, *Llŷn*, Gwasg Carreg Gwalch, 1998

EH: CGCLl Erwyd Howells, *Cof Gorau, Cof Llyfr*, Aberystwyth, 2001

EH: DPG Erwyd Howells, *Dim Ond Pen Gair*, Cymdeithas Lyfrau Ceredigion, 1991

EI: CC Evan Isaac, *Coelion Cymru*, Aberystwyth, 1938

EJ: CSM Evan Jones, *Cymdogaeth Soar-y-Mynydd*, Christopher Davies, 1979

EJ: DG Emrys Jones, *Dagrau Gwerin*, Gwasg Gwynedd, 1982

EJ: DLl Evan Jones, *Doethineb Llafar . . . yng Nghantref Buallt*, Abertawe, 1925

ELlJ: HT E. Lloyd Jones, *Hanes Talgarreg*, [Llandysul] Talgarreg 2003

ELlW: CSB E. Llwyd Williams, *Crwydro Sir Benfro* ii, Llyfrau'r Dryw, 1960

EO: BC Eryl Owain, *Bro Conwy*, Gwasg Carreg Gwalch, 2000

ER: HB Enoch Rees, *Hanes Brynaman*, Ystalyfera, 1896

ER/RG:YLlH Eifion Roberts a Robin Gwyndaf, *Yn Llygad yr Haul*, Cyhoeddiadau Mei, 1992

Ff a Th *Fferm a Thyddyn*, Maentwrog, 1988–

GJ: PBBFW Glyn Jones, *Profiadau Bachgen Bach o Felin y Wig*, Caernarfon, 1970

GMR: CBM Gomer M. Roberts, *Crwydro Blaenau Morgannwg*, Llyfrau'r Dryw, 1962

GMR: CDP Gomer M. Roberts, *Crogi Dic Penderyn*, Gwasg Gomer, 1977

GMR: HPLl Gomer M. Roberts, *Hanes Plwyf Llandybïe*, Gwasg Prifysgol Cymru, 1939

GP: CLlE Gruffydd Parry, *Crwydro Llŷn ac Eifionydd*, Llyfrau'r Dryw, 1960

GP: NCRh Gareth Pierce, *Nabod Cwm Rhymni*, Caerdydd, 1990

GPC *Geiriadur Prifysgol Cymru*, Gwasg Prifysgol Cymru, 1950–

GT: BLl Gwilym Thomas, *Bro Llambed*, Gwasg Carreg Gwalch, 1999

GT/MJ: ADP Gwilym Tudur/Mair Jones, *Amen Dyn Pren*, Gwasg Gwynedd, 2004

HE/MD: FWI Huw Evans/Marian Davies, *Fylna Weden i*, Gwasg Carreg Gwalch, 2000

HMJ: BFM Heledd Maldwyn Jones, *Blas ar Fwynder Maldwyn*, Gwasg Carreg Gwalch, 2003

JD: ABE Jacob Davies, *Atgofion Bro Elfed*, Gwasg Gomer, 1966

JIJ: HAG J. Islan Jones, *Yr Hen Amser Gynt*, Cymdeithas Lyfrau Ceredigion, 1958

JLlJ: ATC J. Lloyd Jones, *Atgofion Tri Chwarter Canrif*, Aberystwyth, 941–5

LlG *Llafar Gwlad* 1983–

LlGC Llawysgrif yng nghasgliad Llyfrgell Genedlaethol Cymru

LlGC (DRP) Un o lawysgrifau D. Rhys Phillips (1862–1952) yn Llyfrgell Genedlaethol Cymru

LlGC (Gwenith Gwyn)
Un o lawysgrifau William Rhys Jones (Gwenith Gwyn), (1868–1937) yn Llyfrgell Genedlaethol Cymru

LlO: C
Llwyd Owain, *Cofion 60 Mlynedd*, Merthyr Tudful, 1927

M ap D: ETC
Myrddin ap Dafydd, *Enwau Tafarnau Cymru*, Gwasg Carreg Gwalch, 1988

MF: GE
Myrddin Fardd, *Gwerineiriau Sir Gaernarfon*, Llygad y Dydd, Penrhosgarnedd, 1979

MRW: DA
Melfyn R. Williams, *Doctor Alun*, Y Lolfa, 1977

MW: BIBC
Mary Wiliam, *Blas ar Iaith Blaenau'r Cymoedd*, Gwasg Carreg Gwalch, 1990

NR: CP
Nansi Richards, *Cwpwrdd Nansi*, Gwasg Gomer, 1972

RG: BF
Robin Gwyndaf, *Blas ar Fyw*, Pwllheli, 1989

RWJ: BCC
R. W. Jones, *Bywyd Cymdeithasol Cymru*, Llundain, 1931

S ap O: GM
Steffan ab Owain, *Geirfa'r Mwynwyr*, Gwasg Carreg Gwalch, 1988

SGD: WCPU
S. Gwilly Davies, *Wedi Croesi'r Pedwar Ugain*, Gwasg Gomer, 1967

SJ: SCC
Simon Jones, *Straeon Cwm Cynllwyd*, Gwasg Carreg Gwalch, 1989

SW: MR
Siân Williams, *Mat Rhacs*, Gwasg Gwynedd, [?1983]

TD: YFF
Tom Davies, *Yn Fore yn Felindre*, Gwasg Gomer, 1966

TDR: BLlF
T. D. Roberts, *Bara Llaeth i Frecwast*, Gwasg Gwynedd, 1983

TE: PC
Twm Elias, *Y Porthmyn Cymreig*, Gwasg Carreg Gwalch, 1987

TGJ: GG
T. Gwynn Jones, *Y Gelfyddyd Gwta*, Gwasg Aberystwyth, 1929

BYRFODDAU

THP-W: HB   T. H. Parry-Williams, *Hen Benillion*, Gwasg
Aberystwyth, 1955

TIE: CC   T. I. Ellis, *Crwydro Ceredigion*, Llyfrau'r Dryw, 1952

TIE: CM   T. I. Ellis, *Crwydro Mynwy*, Llyfrau'r Dryw, 1958

TM   Amrywiol gasgliadau anghyhoeddedig o dribannau
Morgannwg

TMO: TM   Trefor M. Owen, *Torri Mawn*, Gwasg Carreg
Gwalch, 1990

TVJ: ChADC   Tecwyn Vaughan Jones, *Chwaraeon Aelwyd a
Difyrion Cymdeithasol*, Gwasg Carreg Gwalch, 1998

WJG: OME   W.J.Gruffydd, *Owen Morgan Edwards*, Aberystwyth,
1937

HWN A HON AC ARALL

1

A glywsoch chi fod Mari ni
Yn gwisgo dannedd dodi?
Ac am ei thraed mae *high heel boots* –
Mae'n siarad am briodi.

DT

Bronnant, Cered.

2

A welsoch deiliwr tinlla's
A weithiodd got briodas?
A chododd arni ddwbl pris;
Aeth Wil Siôn Prys yn andras.

CM

3

A welaist ti'r ceiliog?
A welaist ti'r iâr?
A welaist ti Mari Aberdâr?
Dyna wnâi ar bob nos Iau
Yw yfed te a bwyta cnau.

AWC 2186/3

Dyffryn Cletwr, Cered.

4

A welsoch chwi Dwm Siôn Cati
Yn rhodio hewl Llanddyfri?
Y cerrig nadd yn toddi'n blwm
Rhag ofon Twm Siôn Cati.

Y Brython ii. 432

5

A welsoch yn unlle mo'r teiliwr llwyd bach
A'i ddwylo anniben a'i galon yn iach?
Bu acw dri diwrnod yn gweithio cob lwyd;
Enillodd dair ceiniog a naw pryd o fwyd.

CM

6

Adwaenwch chwi Tom Brynrogo
A'r ddisgl rhwng ei ddwylo?
Bwydodd ei llond hi o bwdin pys
Nes oedd y chwys yn dropio.
Chynigiodd o ddim.

Y Brython (1938) 29 Awst

Llanarmon-yn-Iâl, Dinb.

7

Aeth Mati Pantybonyn
I'r afon i foddi cath
A chwd o gynfas newydd
Heb fod yn damaid gwa'th.
Aeth y cwd i ffwrdd gyda'r afon
A'r gath a ddaeth i'r lan,
A Mati Pantybonyn
A bangodd* yn y fan.

DT

Cross Inn, Cered. Un o lu o'r amrywiadau ar 'Y Cobler Coch
o Ruddlan'.
*Llewygodd

8

Ar Bont y Garreg y torrodd y ffrae
Rhwng Siôn Ty'n-y-mynydd a Siân Ty'n-y-cae;
Siôn oedd yn gweiddi am ymladd yn deg
A Siân yn 'i guro ar draws 'i hen geg.

AWC 2186/6

Corris, Meir.

9

Ar fynydd Wmffra Dafydd
Yn nhywyll, dywyll nos
Bu farw hen bererin
O'r enw Wmffra Jôs.
Mae heddiw yn y nefoedd
Yn hapus gyda'r llu
Yn deud wrth Wmffra Dafydd
Yn union fel y bu.

AWC

Corris a phlwy Tal-y-llyn, Meir.

10

Ar nos Sul bydd Ned y Popty
Fel yn gwylied yn y gwely
Am y bore os nad drycin
I nôl llwyth o danwydd eithin.

CM

11

Ar Fynydd Hiraethog Siôn Edward a gawn
A chwys ar ei wyneb yn prysur ladd mawn;
Ym mhen ucha'r fawnog, ar dwmpath o frwyn,
'N ei lonni mae'r gwcw a'i hodlau mwyn, mwyn.
Cwcw, Cwcw.

TMO: TM 34

12

Bu farw Deio Watter,
Yr hen greadur ffôl;
Fe'i claddwyd yn y graean
Heb hiraeth ar ei ôl.

Cymru lxviii (1925), 144

Pennill a ysgrifennwyd ar ddrws Ysgol Llwynmochyn,
Blaencaron, Tregaron. Deio Watters = ?David Walters,
hen ŵr a gadwai ysgol yno.

13

Beti Bwt o'r Betws,
Rhy dwt i dynnu tatws;
A dweud y gwir amdani'n iawn –
Ni heil na'r mawn na'r mwnws.

BLJ: BILIE 28

?Robert ap Gwilym Ddu

14

Betsan y Ddôl ar fore dydd Sul
A glywodd ful yn brefu,
A ffwrdd â hi, a'r drws heb gau,
I dwll Nant-gau i lechu.

LlGC (Gwenith Gwyn) 236, 181

Dyffryn Ceiriog

15

Bobol bach y Bala
A thyllau yn eu sana
Yn mynd yn griw
I Bennant-lliw
A Chraig-y-tân i wlana.

Ff a Th 10, 12

16

Bu farw'r hen grintaches
Ar ôl fy mhoeni'n hir;
Mae heddiw'n ddigon tawel
Mewn dwylath dda o dir.
Ac os bydd hon yn canu
Yng nghôr Caersalem wen,
Rho le i mi drws nesa,
Drugarog Iôr. Amen.

AWC

Un o benillion Glofa Pantyffynnon yng nghyfnod Amanwy
(D. R. Griffiths, 1882–1953). Honnir mai Dai'r Cantwr
(David Davies, ?1812–74) a'i lluniodd am ei wraig.

17

Barbra Huws mae wedi marw,
Dydy o ddim iws.
Mae yn y nefoedd
Yn ymyl drws y briws
Yn ochor yr hen Joe Huws.
Waeth i ni heb â nadu –
Dydy o ddim iws.

AWC

Gwaith Dafydd Jones, Ellteyrn. Barbara Huws, Treflech, ardal
Nantglyn, Dinb., oedd yr ymadawedig.

18

Brith yw'r sêr ar nos oleulon,
Brith yw blodau dyffryn Saron,
Brith yw gwisgoedd Mary Hannah,
Brith yw hithau – dyna'r gwaetha.

Cwrs y Byd (1891) Gorff., 130

19

Ar ôl y nos ofnadwy
Fe dorrodd bore wawr;
Mae Tomi bach y Gaffer
Yn madel â ni nawr.
Mae'n mynd i Bontargothi
I wlad y fuwch a'r ddôl;
Gobeithio ar y nefoedd
Na ddaw e byth yn ôl.

AWC

Pennill o lofa Pantyffynnon, Rhydaman, yng nghyfnod Amanwy
(D. R. Griffiths, 1882–1953)

20

Caron Jones y dyn main,
Mynd i'r coed i saethu brain.

Ar lafar yng ngogledd Ceredigion am y Parchedig Caron Jones a fu'n
gweinidogaethu yn y Borth am flynyddoedd lawer.

21

Bydd Griffith William cyn bo hir
Yn mynd ar daith i'r Deau dir;
Dau swllt y bregeth fydd ei bris,
Ni wna er undyn ddima'n is.
Tra bydd Griffith yn trin y Gair
Bydd y merlyn bach yn bwyta gwair

DT

Felly yr anerchwyd y Parchedig Griffith William, Bwlan, Caern.
pan oedd ar fin mynd ar daith bregethu i'r de.

22

Cardis y Blaene
Hirion eu coese,
Bara ceirch cras
A cholfran* mewn bacas*.

DT

Aber-banc, Orllwyn Teifi, Cered.
*Ceulfraen, llaeth wedi ceulo y gwasgwyd y maidd ohono
nes sychu o'r sopen ac yna ei halltu a'i friwio â llaw . . .
cheese-curds. GPC.
*Bacas, coes hosan, hen hosan

23

Ceridwen y Fingar sydd ddu ei gwallt
A Mair y Gors sydd anodd ei dallt,
A Jin y Fach sy'n glwydde bob gair
A Tom Hafod Terfyn sy'n gariad i'r tair.

AWC

Robert William Roberts (Bob Wil) o Fro Hiraethog

24

Codi'i chloch o hyd roedd Sionad
Am ei bod hi heb 'r un cariad,
Ac yr awron wedi priodi
Dydi fymryn gwell nag o'dd hi.

Cwm Tawe

25

Dafi Siencyn Morgan
Yn pitsio tiwn ei hunan,
A'i isaf ên e nesa miwn,
A dyna'r ffordd i ddechre tiwn.

DT

Cross Inn, Cered. Cofnodir yr un pennill ynghyd â rhai
amrywiadau yn GMR: CDP 15, am gerddor lleol o Langrannog,
a rhagflaenir ef yno gan y pennill hwn:

Mae Dafydd Siencyn Morgan
Yn canu cân ei hunan,
A'r ysbryd drwg yng nghil ei foch
Yn gyrru'r moch i drotian.

26

Dafydd bach y Morfa
Sy'n gertmon bach go-lew;
Fe borthodd gaea' dwaetha'
Geffylau'r Nant yn dew.

LLG 17, 15.

Llŷn

27

Dafydd Dafis Ffos-y-ffin
Gollodd allwedd twll 'i din;
Methu ffindio'i 'n ddigon clou,
Holltodd twll 'i din e'n ddou.

Ar lafar yn gyffredin. Weithiau ffurf y cwpled olaf yw:

Methodd gachu am y tro
Am fod twll ei din ar glo.

LlG 20, 9

28

Dafydd William, bachgen call,
Blew yn un glust a dim yn y llall.

Resolfen, Morg.

29

Dafydd Llwyd a Tomos Dafis,
Judy a Maria hwylus,
Pam goddefwch hyn o ddifri –
Tomos Jones yn curo Mari?
Twm Gwarfeilig a'i wraig ynte,
Dewch ynghyd i lunio deddfe,
A Siôn Stifin a'i wraig ffyddlon –
Dewch ynghyd yn uniongyrchol.

DT
Beulah, Castellnewydd Emlyn, Cered.

30

Dai, Dai, boten glai,
Yfed cwrw bob nos Iau;
Yfed gwin bob nos Lun,
Dyna ffasiwn yr hen ddyn.

AWC (Tâp 6439)
Cefneithin, Caerf.

31

Dai Sarn Bach yn drigain oed,
Hela wyau bu erioed;
Casglu bore a phrynhawn
Er mwyn cael y cart yn llawn.

AWC 2186/11
Cered.

32

Dera, Pegi, cwn yn wisgi,
Nid oes adeg iti oedi;
Dera i gynnu tân i'r teulu,
Bwyd yn barod, [wi yn berwi]
Hi ddaw yn whaff yn bump o'r gloch –
Ma'r ceiliog coch yn canu.

LlGC (Llên Gwerin Dyffryn Aman, 1907), 21

33

Dai Troed-y-rhiw am stori –
Fe ddalws, medd, eleni,
Ryw frithyll mawr o'dd yn ddeg pwys
Yn ymyl Eclwys 'Wenni.

Ni allaf gretu'r stori
Waeth mae mor glir â'r g'leuni
Mai celwydd teg yw stori Dai,
A dyna fai ei deulu.

TM

34

Davies Llwyn a Davies Farmers,
Hir eu pyrse a mwyn eu maners,
Yn fonheddwyr i'r llythyren –
Byth dro brwnt ynglŷn â bargen.

TE: YPC 5

Am ddau borthmon

35

Daw diwrnod i gneifio,
Daw un o bob tŷ,
Daw Huw Hendre Newydd
A'i bwt cetyn du,
A John o Faesbyllan
Y dyn gore'n y fro,
A Robin o'r Graigwen
A'i din ar ei ôl.

Ff aTh 20, 8

Ardal Cwmtirmynach, Meir.

36

Dic Aberdaron roddodd ddwy rech,
Un am hanner coron a'r llall am saith a chwech.

LlG 20, 9

Waunfawr, Caern.

37

Deio Francis,
Gŵr hyddysg yn y Gair,
Yn herio'r Hollalluog
Am gadw'n sych ei wair.
Mae ganddo beth gwair hadau
A hefyd beth gwair mân;
Maent oll yn cwato'u pennau
O dan y peisiau gwlân.

DT

Pennill i Deio Francis o ardal Llangeitho, Cered., am ei fod yn cuddio mydylau gwair â rhacs i'w cadw'n sych.

38

Dyw Bardd Tŷ'r Ddôl
Ddim bardd ytôl;
Mae copa'i ben e
Ormod 'n ôl.
Ni ddaw'r un parc
Â Bardd Pen-mein
Tra byddo diffyg
Ar y *brain*.

AWC 2186/14

Dau rigymwr yn ardal Blaenannerch, Cered., a fyddai'n tynnu coesau ei gilydd. Bardd Pen-mein a ganodd yr uchod.

39

Deio John ei hunan
A'i bot yn mofyn lla'th;
Doedd ganddo ddim i'w porthi
Ond pedair iâr a chath.
Yr ieir i gyd yn crecian
A'r gath yn gweiddi 'Mew';
Pa ddyn o gomon synnwyr
All ddweud nad oedd yn lew?

AWC 2186/11

Cered.

40

Dei Pen-cae
Mynd â'r hwch at y baedd;
Hwch 'cau cymyd,
A Dei 'cau symud.

AWC

Am gymeriad o Lyn Ceiriog

41

Deio 'leni, Deio llynedd,
Deio nawr ers trigen mlynedd;
Deio eto gan ryw fawach –
Pryd ga'i fynd yn Ddafydd bellach?

DT

Bwlch-llan, Cered.

42

Diwedd pren pwdr fydd myned i'r tân
A diwedd merch lân fydd priodi;
Diwedd hen geffyl fydd myned i'r gors
A diwedd Twm Siors fydd ei grogi.

LlGC (Gwenith Gwyn) 701

43

'Faint ydi o'r gloch?'
Medda Huw Tŷ-coch.
'Hyn a hyn,'
Medda Wil Glan-llyn.
'Sbia ar y cloc,'
Medda Charlie Locke.
'Taw, y ffŵl,'
Medda John Owen Sgŵl.

AWC

Cofnodwyd gan frodor o Lanfair-pwll, Môn, a mynnir
fod pob un a enwir yn berson o gig a gwaed. Yr oedd
Huw Tŷ-coch yn frawd i Syr John Morris-Jones.

44

Er ceisio o Edward Huws y saer
Fynediad i'r Nefoedd ar ei liniau'n daer,
Methiant fu'r ymdrech, ac fe'i gyrrwyd i lawr
At ddorau eirias Uffern Fawr.
Daeth y Diafol, ac meddai, 'Dydio aflwydd o iws
Trio wanglo at yr hogiau heb bechu, Huws.'
Ac fe'i trowyd ef allan gyda hynny
I'r gwagle iasol i rewi a rhynnu,
Ac yno mae o eto, 'nawn i ddim synnu.

Cefn Gwlad (1940–41)

45

Dyma dro i Huws y Rheithor
Fynd i'r wledd a'r ddawns ym Mangor;
Gwnaeth hwn weithred ddiegwyddor –
Rhaid ei fod yn feddw sobor.

AWC 3274/185

46

Dymunwn o'm calon gael heddwch i'w lwch,
Roedd o'n hen Gristion cyn sured â bwch;
Distaw oedd yma, distawach yn awr,
A distaw a fydd hyd fore'r Farn Fawr.

AWC 3396/6
Teyrnged mab o Ddolwyddelan i'w ddiweddar dad.

47

Ellen Owen gopog
A'i sbectol ar ei thrwyn
Yn dysgu plant i ddarllen
Wrth olau cannwll frwyn.

AWC
Un a gadwai ysgol yn ei chartref yn ardal Pentrefoelas cyn
dyddiau addysg orfodol.

48

Evan Lewis, cyfod o'th wely a rhodia,
I gael mynd i Batagonia.
Diolcha bod ti'n iach
I gael mynd i'r tŷ bach;
Gallet ti fod yn y gwely â niwmonia.

AWC 3422/2

49

Evan Lloyd y Cribyn
Yn mynd i ffair San Silin;
Ffair Llanwnnen lawer gwell
Ond bod hi 'mhell i'r asyn.

AWC 3422/6

Cofnodwyd gan frodor o Langeitho, Cered.

50

Fe laddodd Wil y Carne
Pan wrtho'i hun, filiyne,
Ond pan mewn cwmni diangsant ffwrdd
Heb un yn cwrdd ag ange.

AWC (Tâp 3924)

Siaci Pen Bryn, bardd gwlad, am saethwr a fynnai ei fod yn
saethu pob math o bethau, ond neb yn digwydd ei weld yn
gwneud hynny chwaith.

51

Fe ddaeth 'na awel heibio
A honno'n awel gref,
'R un fath â aeth â Lias
I fyny tua'r nef,
A gollwng Rachel Ann ar ôl
I werthu taffis ar y Fo'l.

AWC 3089

Rachel Ann, Foelgastell, yn ardal Cydweli; merch weddw'n cadw
siop fach ar y Foel. 'Pawb yn priodi ond Rachel' oedd y gair.

52

Fe fedyddiwyd Moc fy mrawd –
Doedd ganddo fe ond crefydd dlawd;
Fe drodd y dŵr ei liw drwy'r dydd
O'r Ynys-fach i Bontypridd.

LlGC 1131, 60

53

Fi wela Martha o'r Tyla
Yn yfed cawl twym gwyn
O laeth 'rhen afar Sioncen
Sydd newydd ddod â myn.

Y Darian (1928) 16 Awst

54

Heda, heda, heda frân
Dros y môr i dir Ysba'n;
Annerch yno yn dra siriol
Ifan Siôn fy ffrind serchiadol.

Ifan Siôn yn fwyn ddyweda,
'Pa fodd mae fy ffrind sydd adra?
Er fy myned dros yr eigion,
Yn sir Feirionnydd mae fy nghalon.'

CM

55

Hen fenyw fach o Gefneithin
Yn dweud hen bethau cas
Gan fynd 'r hyd tai cymdogion
A dweud am Nansi fach.
Mae Nansi wedi marw
A'i chladdu yn y pridd;
O dere di, 'r hen lances,
Dy dro a ddaw ryw ddydd.

AWC 3039

56

Fflat Huw Puw yn rowlio,
Dafydd Jones yn rhifflo,
Huw Puw wrth y llyw
Yn gweiddi: 'Duw a'n helpo!'

Dywedir mai'r rhigwm hwn a genid gan hen longwyr Llŷn
a sbardunodd J. Glyn Davies i gyfansoddi *Cerddi Huw Puw*.

57

Gwilym Beech y Gricor yn gwneud coes rhaw,
Rhiglo buarth a hel pob baw.
Pwy sy'n hel y degwm?
Pwy sy'n hel y dreth?
Gwilym Beech y Gricor sy'n gwneud pob peth.

AWC 3274/58
Ardal Rhuthun

58

Hen wraig tu hwnt i'r Felin
Pan oedd yn mynd i'r odyn
A wnaeth arnaf olwg ddu
Am yrru ar ei morwyn.

CM

59

I ganlyn Dic y Gorsddol-gau
Aeth oferddynion mwy na dau
I ffair Harlech pentre'r sir
Lle cawsom gwrw berw a bîr.

Owen Siôn oedd enw un,
A Robyn Gwilym, ddirym ddyn,
A Siôn y Talwrn yn ddi-ball,
A Wil y Clochydd oedd y llall.

CM

60

Hen wraig y Tyddyn Ucha
Sy'n gwerthu enwyn tena,
A hefyd nid yw'r deg ei gwawr
Yn rhoddi fawr am ddima.

CM

61

Ifan ar bla'n
Yn 'i dorri e'n lân,
Lewis 'n canol
Yn 'i dorri e'n fanol,
A Tomos yn 'bôn
Yn 'i dorri e wrth y cro'n.

AWC
Crefft gwahanol bladurwyr ym Morgannwg

62

J. T. Rees,
Cerddor mwya'r fro,
Ac ar ei dalcen lydan
Mae dwy wythïen lo.

AWC 3422/6
Cerddor o fri a chyn-löwr. Brodor o Gwmgïedd, Ystradgynlais,
ond a fu'n godwr canu yng Nghapel y Garn, Rhydypennau, Cered.,
am flynyddoedd.

63

Gaenor Tanygeulan sydd felyn ei gwallt,
Gaenor y Gerllan sy'n anodd ei dallt,
Gaenor yr Hengae sydd gywir ei gair,
A minnau mewn cariad â'r ganol o'r tair.

Llafar (1951), 31
Yr oedd Huw T. Edwards o ardal y Penmaen-mawr yn cofio'i dad
yn adrodd 'yr hen rigwm hwn'. Yr oedd gan Simon Jones, Cwm
Cynllwyd, amrywiad ar y pennill lle ceid ef yn gariad i'r tair.
Gw. hefyd 23 uchod.

64

Hi aeth yn nos, fe ddarfu'r dydd,
Ni ddaeth mo Ruffudd adre;
Fe eiff y calla' weithie'n ffôl –
Mae rhwydiad yn Nolgelle.

LlGC 171, 79

65

Hugh Pugh, pastwn coch,
Hel y moch o'r egin,
Defaid gwyn o dan y graig
A'r wraig yn curo'r forwyn.

LlGC (DRP) 60, 86
Pennill i'w adrodd er mwyn annog rhywun i frysio.

66

Huwcyn a Sioncyn a dau geffyl dall
Yn cario blawd afiach i hwn ac i'r llall;
Cario blawd gora i dŷ Mrs Green
A gadael Miss Morgan yn sobor o flin.

AWC 3396/5
Llanfair Mathafarn Eithaf, Môn

67

Hen wraig yn gyrru'n erwin
Ar hyd y nos,
O Groesoswallt i Lanfyllin
Ar hyd y nos,
Ac yn galw am ei gwydryn
Er mwyn ei sirioli dipyn
O Groesoswallt i Lanfyllin
Ar hyd y nos.

Bye-gones (1889), 111
Cenid gan Pegi Llwyd a fyddai'n cario pobl a nwyddau mewn cert
ar ddydd Mercher a dydd Sadwrn rhwng y ddau le a enwir, ac a
oedd yn hoff o alw mewn sawl tafarn ar ei thaith.

68

Huw Lloyd y tyrchwr creulon,
Dal y mae y tyrchod duon;
Mae o'n dal bob dydd ryw ddau,
Ond nid yw'r tyrchod yn mynd yn llai.

Ff a Th 26, 32

69

Huw Liwsyn, Siôn Elisa
A Ffowc o Nantydeilia,
A Wiliam Fychan o Gaer-gai –
Pa un o'r rhain sydd ora?

CM

70

Howel Harris ar ei hors
O Lannerch-y-medd i Lan-y-gors;
O Lan-y-gors i'r Garreg Lefn
A chlamp o Feibl ar ei gefn.

CM 1257

Hen ŵr o Fôn a'i cofiai 'ers pan oeddwn yn rhyw
dinllach bach'.

71

Ifan Owen aeth yn fugel
I'r Tuenno-fach yn Llanmihangel;
Yr oedd arno ddirfawr hiraeth
Am ei frawd a'i fam-yng-nghyfraith.

CM

72

Ifan Cadwaladr, hen ddyn di-ras,
Wrthododd â gwerthu i mi swynog las.
Y defaid a borant y fynwent mewn hedd
Gobeithio y cachant ar wyneb ei fedd.

AWC 1955/1

73

Jac Siôn Parri purion
Yn gwerthu pupur hirion,
Hadau maip o Ynys Môn
Ac eli o Dreffynnon*.

LlGC (Gwenith Gwyn) 236, 180

*Sonnir am yr eli arbennig hwn mewn rhigymau eraill, e.e.:
Eli, Eli, Eli Treffynnon,
Welliff bob clwyf ond clefyd y galon.

LlGC (DRP) 60

Eli Treffynnon a'ch gwella chi'n union;
Eli sir Fflint a'ch mendia chwi'n gynt.

Bye-gones (1876), 31

74

Jac y Dre sy'n fachgen digri,
Aeth i'r sgubor fawr i garu,
Ac wrth iddo ddyfod adre
Aeth mewn t'wllwch dros ei glocse.

DT

Bronnant, Cered.

75

Jac y gof haearn,
Wil y gof pres,
John y gof copr,
Wel dyna i chwi res.

D

Atpar, Castellnewydd Emlyn, Cered.

76

Isaac y Pant a phant yn ei din,
Saethodd wningen yn ffêr yn ei thin.

Rhigwm a weiddid i wylltio hen gymeriad syml a drigai mewn
tyddyn o'r enw Pantygarreg-hir, yng Nghwmsymlog, Cered.

77

Jac y Tramp a Bili Pyrjis,
Dau drafaeliwr adnabyddus,
Cawsant lawer noson ddifyr
Ym mharlwr Glynymyfyr.

LlG 28, 17
Llanallgo, Môn

78

John Davies Cae Tudur ymdrechodd bob nos
I ddysgu cantorion yn ardal Cwm Cro's;
Ymdrechodd yn galed, fe ganodd yn neis,
Fe goncrodd Gors Neuadd, enillodd y preis!

CD: HG, 21
Rhigwm i dad Cassie Davies, cerddor da

79

Joseph Davies, gwas y nef
Oedd ef er pob ffaeleddau;
Ni anwyd undyn heb ei fai
Waeth pridd a chlai yw'r gorau.

Glanffrwd: *Llanwynno*
Hen ysgolfeistr cloff Llanwynno

80

Mae Bili Bach cap lleder
Yn gaffer heb ei fath,
Yn mesur deunaw modfedd
Lle dylsai fesur llath.
Ond pan rydd Duw y Barnwr
Ei dâp amdano fe
Bydd yntau wedi shrinco
Yn ddim wrth Borth y Ne'.

Y Cymro (1949) 29 Ebrill
Dyfynnir gan Amanwy (D. R. Griffiths, 1882–1953)

81

Liwsi, Liwsi, dwyflwydd oed,
Hogan fach dlysa weles i 'rioed.
Ymhen dwy flynedd fe aeth yn hyll;
Dyna'r hogan fach hylla weles i byth.

AWC 2186/9

82

Ma' Siencyn o'r Inn
A'i fola fe'n dynn;
Os na chaiff a gwrw
Ni withith a ddim.

Y Darian (1925) 19 Chwef.

83

Mae bachgen yn Llanegryn
Yn sgolor doeth a llon
A fedr mesur troedfedd
A gwneuthur deial gron.
Gall fesur Cader Idris
Yn gywir yn ein lle;
Nid oes yn sir Feirionnydd
Yr un 'r un fath ag e.

AWC 1866

84

Mae bwndel fawr o forw'n
Yn Orgro loyw lân,
Hi a'th i nitho'r bara
Yr ochor with i'r ma'n.
Y dishan dda'th i'r golwg
Yn ddu a brwnt 'i lliw;
Ni chaiff neud bara yto
Yn Orgro yn 'i byw.

Iolo Lalas, LlGC 1165, 13

85

Mae afon Dyffryn Llynfi
Yn golchi pob budreddi;
Os golch hi bechod 'r hen Gwen Siôn
Bydd mwy o sôn amdani.

TM
Am wraig ffraeth ei thafod a gafodd ei bedyddio yn afon Llynfi.

86

Mae Dic yng Ngharreg Wian
A Wil yn Rhydyrarian,
A Siôn yn Sgubor Fawr y Bryn
A Chatrin adra'i hunan.

LlG 28, 17
Gaerwen, Môn

87

Mae dyn o ddadle newy'
Yn byw ar fanc Be[n]-lan;
Fe weithiodd whilber newy'–
Rhyw hanner carafán.
Fe eith e i Geinewy',
Drafaela sir neu ddwy;
Ma' hynny'n well na labro –
Enillith lawer mwy.

DT
Beulah, Castellnewydd Emlyn, Cered.

88

Mae Foel Fama'n fawr,
Mae'r Wyddfa yn fwy,
Ond mae pen-ôl person Nantglyn
Yn fwy na'r ddwy.

AWC (Tâp 5854)
Clywid ym Mhrion, Dinb. Weithiau yr Aran sy'n fawr, a phen-ôl
person Llangwm (Uwchaled) neu Mari Siôn Parry (Llanfachreth)
sy'n fwy, neu 'dafod Eleri' (Cwmtirmynach) hyd yn oed.

89

Mae ffeirad Cilrhedyn*
Yn byw yn y dyffryn;
Gwell ganddo gŵn hela
Na defaid Jehofa.

*Ardal yn Llanychâr, Penf.

Yr Haul (1940), 184

90

Mae gwŷr Clyde* i gyd dan arfe,
Fe all y *French* i aros gartre;
Ma' dyn o'r enw Twm Mab 'Nhad
Yn barod iawn i dywallt gwa'd.

AWC 1864

*Clydau, Penf.

91

Mae Hitler wedi marw
A'i gladdu yn y baw,
A'i ben yn dylla sgidia
I dacla Aber-ffraw.

LlG 13

Rhigwm a lafargenid gan blant Niwbwrch pan fyddai tîm pêl-droed
y pentre'n herio tîm y Berffro. Amrywiad ar y drydedd linell yw
'A'i wallt yn gria sgidia'. Fersiwn arall ar y rhigwm cyfan yw:

Mae Hitler wedi marw,
Mae Hitler wedi byw,
Mae Hitler wedi'i gladdu
Tu ôl i Menai View.

LlG 15, 2

92

Mae Jac Torrwr Beddau'n cael digon o bris,
Fe allai roi Rhysyn ddwy droedfedd yn is;
Ai teg at y marw rhoi 'chydig o bridd
I'r byw i gael rhagor o hoe hanner dydd?

Cledlyn: *Chwedl ac Odlau*, 26

Dyffryn Teifi

93

Mae John Glandŵr
Yn fachgen siŵr
Ac Ann yn lodes deidi,
A Geta fach
Yn bwydo'r moch
Ac Ann yn carthu'r beudy.

AWC 2186/4

Teulu fferm ym mhlwyf Pen-boyr, Penf.

94

Mae Kitty Jones yn lodes heini
Ar y banc yn wlyb diferu,
Does dim o'i bath hi'n handlo cryman
O Gwrtnewydd i Rydlydan.

DT

Llanwenog, Cered.

95

Mae llawer o ddwndwr am Siôn y telyniwr,
Ei fod yn bencampwr, twyll honnwr yw hwn;
Ni waeth gen i swnio dwy hen badell ffrio
Na'i glywed yn dilio'r hen delyn.

CM

96

Mae Mari Ifan Harri
Yn sgwrio a gwasgaru,
A'r llau a'r chwain ar hyd y llawr,
A gwael yw gwawr y gwely.

GP: NCRh 166

Am un o drigolion Craigyfedw, Cwm Rhymni

97

Mae Mari wedi marw a'i chorff sydd yn y bedd,
A'i henaid yn y whilber yn mynd tua Chastell Nedd.

GMR: CBM [13]

98

Mae Mari Lewis Edward
Yn fenyw dawel, fwyn;
Hi gafodd ei bedyddio
Yn gwbwl ond ei thrwyn.
Mor chwithig fydd ei gweled
Ar fryn Caersalem lân,
Ei chorff hi fel yr eira
A'i thrwyn hi fel y frân.

LlG 29, 22

Fersiwn o Gwm Rhymni. Ceir llawer o amrywiadau ar y rhigwm hwn.

99

Yr Abi Jacs a'r Mera brîd,
Does dim o'u bath nhw yn y byd.

Cymru v (Gorff. 1893), 6

Barn pobl Bro Morgannwg am drigolion i'r gorllewin o afon Nedd.

100

Mae Nansi Nant Erwydd
Yn achwyn yn dost
Fod cadw gwas'naethwyr
Yn ormod o gost;
A thorri tri thocyn
O gaws yr un pryd –
Ystyriwch, 'r hen folgwns,
Mae'r enllyn yn ddrud.

Caerf.

101

Mae ocsion heddiw yn Pen-top
I werthu'r da a'r stoc a'r crop;
Os gwerthu'th John yn weddol ddrud
Bydd John Pen-top yn dop y byd.

AWC 1864

Cafwyd ar boster yn hysbysebu ocsiwn ar fferm ger Llanllwni, Cered.

102

Mae tri o ladron celfydd,
Medd Rowland o Drawsfynydd,
Yn ysbeilio'r wlad bob awr
Yn galant heb fawr g'wilydd.

Y cyntaf yw'r melinydd,
Yn ail y cawn y gwëydd,
Ac yntau'r teiliwr grepach law,
Yn odrist, a ddaw'n drydydd.

CM

103

Mae sôn mawr am Siôn Morus
Gyda'r Beibl yn gwneud y bobl yn hwylus,
Ond da fyddai i'r gŵr moddus
Rhag niwed i'w groen newid ei grys.

LlGC (Gwenith Gwyn) 236, 66
I Siôn Morus o Dregeiriog, Dinb. 'Gwau hosanau ac adfer pobl
wedi colli eu synhwyrau oedd ei waith . . . Dyn aflêr oedd Siôn
Morus, aflêr ei wisgiad a'i ddull o fyw.'

104

Mae Siani Bob-man yn gwneuthur ei rhan
I gadw y Cei mewn poblogrwydd,
Tra eraill i gyd yn gwneuthur dim byd
Ond gwledda ar gefn ei henwogrwydd.

Mae pawb drwy'r holl wlad yn dod am iachâd
I ardal iach brydferth Ceinewydd;
A'i wyneb yn llon, ymwelant â hon
A theimlant byth mwyach yn ddedwydd.

AWC 14
Gwerthid cardiau yng Ngheinewydd gynt a'r penillion uchod
arnynt. Trigai Siani yng Nghei-bach ychydig i'r gogledd o
Geinewydd. Ceir llun ohoni yn Robin Gwyndaf: *Straeon Gwerin
Cymru*, 67.

105

Mae Tomos Jones o'i drwyn i'w frest
Yn flew oll drosto'n drwch,
Ond pam mae'n shafo copa'i ben
A pheidio shafo'i swch?

Cledlyn: *Chwedlau ac Odlau*, 25
Dyffryn Teifi, Cered.

106

Mae tri o lanciau hynod
Ar fanc Maesmeillion yn eu preswylfod;
Pan welant ddyn yn dod
Dihangant fel cwningod.

AWC 2186/3
Dyffryn Cletwr, Cered. Rhigwm am dri hen lanc a oedd yn
byw yn yr ardal.

107

Mae'r ddafad yn brefu
A'r ceiliog yn canu
Bod Morus Cwmrhaead
Yn jêl Aberteifi.

CF: NC 84
Lleidr defaid a ieir yn ardal Pumlumon oedd Morus.
Crogwyd ef am ei ddrwgweithredoedd yn Aberteifi yn 1795.

108

Malen Step ac Anna
Yn rhedeg am y cynta
I rybuddio angla',
Nid 'ran parch i Nani
Ond ise blawd i bobi.

DT
Glynarthen, Cered. Cyfeiriad at hen arfer o ofyn i wraig
neu wragedd tlawd fynd o gwmpas ardal i gyhoeddi
angladd. Caent ffioled o flawd yn dâl.

109

Marged Ann a finne
Yn mynd i Benrhiw-pâl;
Marged Ann yn hala whilber
A finne'n cario pâl.

DT

Llanwenog, Cered.

110

Mi glywais echdoe yn y Berch*
Bod yno ferch i farchog
Yn rhannu bara gwyn a gwin
I'r gwerin, fun drugarog.

CM

Aber-erch, Caern.

111

Mi glywais lawer iawn o sôn
Am Robert Siôn o Nantfach;
Mi adwaen hwn petai ym Môn
Wrth lais ei ebillion* bellach.

ER/RG: Y LlH, 49

Nantfach, fferm yn ardal Cwmpenanner
*Pegiau ar grib telyn

112

Mi welais ryfeddod rhyfedda erioed,
Hen fenyw'n priodi yn bum ugain oed,
Heb wallt ar ei thalcen, heb ddant yn ei gên,
Os dwl oedd hi'n ifanc, saith dwlach yn hen.

LlGC 1940, 141

113

Modryb Madlen godre'r wlad
Yn dawnsio 'nhra'd 'i sane.

Cymru i (1916), 274

Ffair-rhos, Cered.

114

Miss Williams y *cottage*, wel dyna un od,
Yn gogrwn o gwmpas yn ei gown sidan plod*,
A hefyd mae'n siarad mor wastad a neis
Fel pe bai hi'n profi dim byd ond mins peis.

DLlB, 267

Adroddwyd gan John Thomas y canwr baledi, aelod o
Barti Tai'r Felin.

*?Plàd, *plaid, tartan*

115

Mistar Thomas druan
Aeth i awchu'i gryman;
Trows ei gefan at y [llwyn]
A thorrws drwyn 'i hunan.

LlG 29, 23

Rhymni

116

Mor wir â bod Sadwrn yn dilyn dydd Sul
Bu rhyfel ofnadwy rhwng John Ffransis a'r mul;
Rhwng tŷ William Edwards a Melin Rhos-fawr
Fe daflodd y donci John Ffransis i lawr.

LlG 28, 17

Rhos-fawr, Môn

117

Pa le mae'r annwyl Ianto?
Fe hoffwn weld ei wedd;
Rwy'n ofni fod e'n huno
Yn dawel yn ei fedd.
Rwyf yn breuddwydio weithiau
Y clywaf sŵn ei lais
Yn bloeddio rhwng y bryniau,
'*Fresh cocs!*' yn iaith y Sais.

AWC 1852

Gwaith Tomos Huws, Llandudoch, siopwr a bardd. Gwerthwr cocos
ar hyd yr ardal oedd Ianto.

118

Morris Tregaron
A gollodd ei goron;
Fe'i cas hi 'mhen blwyddyn
Ym mhoced Wil Siencyn.

DT

Llandysul, Cered.

119

Mynd i'r môr a fynnai Eben,
Blys oedd arno fod yn gapten;
Aeth am fordaith draw i Glasgo
A bu hynny'n ddigon iddo.

AWC 1141

Trefald.

120

Mae Owen Edwards Coed-y-pry
Yn ffond o faco'r Deryn Du*,
A Beti sydd yn caru'r mwg,
Mae'n danfon draw ei hysbryd drwg.

WJG: OME 19

*Baco siag Cwmni Amlwch
Rhigwm yn enwi rhieni Syr O. M. Edwards, a thebyg mai'r tad ei
hun oedd yr awdur. Weithiau clywir yr amrywiad canlynol:

Owns o faco'r Deryn Du
I Owen Edwards Coed-y-pry;
Beti sydd yn hoffi mwg
I gadw draw ysbrydion drwg.

121

Rees, Rhys, Rhysyn,
A'i gryse fe'n gregyn
Yn gweithio'n y graig
Yn wag 'i gwdyn.

AF 82

Rhigwm yn adlewyrchu tlodi'r diwydiant slâts (llechi) yng
ngogledd Penf.

122

Ned Felinlyn ar gefn ei ful dall
Yn gwerthu heidden i hwn a heidden i'r llall;
Weithie'n cael ceiniog ac weithie'n cael 'r un,
A weithie'n cael cythrel o gic yn 'i din.

Ff a Th 29, 19

I felinydd o Ddyffryn Ceiriog

123

Pe sychai'r môr heb oedi,
Pe bai i'r haul ddiffoddi,
Pe syrthiai'r haul y funud hon
Fe fynnai John gael meddwi.

TM

124

Pegi Jonin arrau ceimion,
Cwt y gath yn lle gardyson.

Bye-gones (1897), 209

Ardal Bronnant, Cered. *A well known witch was Pegi Jonin*,
meddai *Bye-gones*. Ceir cyfeirio at 'arrau ceimion' a'r gardyson
o gwt neu gynffon y gath mewn amryw rigymau eraill.

125

Pitar Llwyd y potiwr llon
Mewn brethyn llwyd a gwasgod gron.

AWC 2186/6

Ardal Cynwyd, Meir.

126

Pwy ddechreuodd Ffair Llanllyfni?
Daniel Pugh a Daniel Parry.
Pwy oedd y capten ar y rheiny?
John Bach Teiliwr wedi meddwi.

DJ: CCTA 9

Cymeriadau o ardal Llanllyfni, Arfon

127

'R hen Guto Ddu! Hen gythral o ddyn;
Ysbïwch i fyny, cewch weled ei lun.
Un llygad sydd ganddo – mae bron yn ddall;
Biti ddiawledig na cholla fo'r llall.

Carneddog: *Cerddi Eryri*, 5

128

'R hen Siôn y Gof eisteddws
Ar ffwrwm fach y bacws;
Aeth drwyddi'n garn fel llwyth o blwm
A chlybu'r cwm pan recws.

TM

129

Robat Roberts dynol ryw,
Yn Nhŷ-fry y mae o'n byw;
Mynd i'r eglwys ar y Sul
Gwaeth ei sŵn na bastard mul.

Ff a Th 26, 32

130

Robert Lloyd y Felin
Yn ddyn bach twt;
Sefyll yn y Bondo
A phiso lawr i'r Clwt.

Ff a Th 29,19

I felinydd o Ddyffryn Ceiriog. Enwau dau gae o'i eiddo
oedd Bondo a Clwt.

131

Robin Jones y Gwich sydd yn fachgen tlawd,
Ennill ei damaid wrth gario blawd;
Cario blawd ac india corn
Am ryw damaid i Elin Horn.

LlGC (papurau J.W. Jones)

132

Roedd Person Llanarmon yn ffond o gig moch,
Fe brynodd ef olwyth gan Ifan Tŷ-coch;
Roedd y fargen yn dyfod i chwe swllt a thair,
Fe dalodd y chwech a chadwodd y tair.

AWC

Llandrillo, Dinb.

133

Roedd rhyw hen wraig ers amser maith
Yn gwybod popeth bron;
Dymunais innau lawer gwaith
Gael bod 'r un fath â hon.

Resolfen, Morg.

134

Roedd Sali Perkins, Pontypridd,
Yn sâl ar ddydd priodi
Trw fynd i'r botel fach bob dydd
A nos wrth fynd i'r gwely,
A thra bydd brandi yn y byd
Yn sâl o hyd bydd Sali.

AWC 3089

Cefneithin, Caerf.

135

Teilwr bach Dihewyd
Yn cerdded yn glic;
Fe gwrddodd â chwannen
A rhows iddi gic.
Fe gododd y chwannen
Ar ben 'i throed ôl
A rhedodd y teilwr
Heb edrych yn ôl.

Bro 8 (1979) 8 Meh.

Rhigwm am John Harris, y teiliwr bach. Ganed yn 1815.

136

'R ôl dringo'r Llech a Charreg-y-frân
Ffast anian o Ffestiniog,
Disgynnwch yma at Sarah Llwyd –
Cewch ganddi fwyd amheuthun.

LlG 11

Ar arwydd hen dafarn Pen-y-bont, Ysbyty Ifan, Dinb., yn
disgrifio ffordd y porthmyn cyn ei chyrraedd.

137

Rwy'n rhyddhau Sali Stringol,
Y wraig a'i natur fawr,
O bob rhyw ddyled imi
O Noa hyd yn awr.

Dymunaf dda i Sali,
Ei chrefydd gyda hi,
A gwneler hedd â'r nefoedd
Fel gwnaeth hi hedd â mi.

DT
Llangeitho, Cered.

138

Rhys, Rhys, cawl pys,
Mynd i'r gwely heb ei grys;
Cwnnu'n fore fel y cloc,
Bant â fe i waith y *Rock*.

Resolfen, Morg.

139

Siôn a Siân oddeutu'r tân
Yn bwyta blawd ac eisin mân,
Yn adrodd straeon am y gore
Ond gyda Siân oedd y stori ore.

AWC 2705
Dyffryn Cletwr, Cered.

140

Siencyn Siôn y cobler crwn,
A weithi di bâr o glocs i Twm?
Mae Twm yn achwyn yn ei wanddau*
Fod y drain am bigo'i sodlau.

DT

Atpar, Castellnewydd Emlyn, Cered.
*gwadnau

141

Siôn y Bôn a'i arre ceimion,
Cwt y gath yn lle gardyson,
Cwt y cwrcath am 'i wddwg –
Dyna ffasiwn Shir Forgannwg.

Caerf.
'Rhag i Sioni ddala annw'd' yw'r llinell olaf mewn fersiwn
o blwyf Resolfen.

142

Syri* mab Sara,
Byta caws heb ddim bara.

Cymru liv (1918), 131

*'Cyfarchiad gweision ffermydd i'w gilydd yn nwyrain Maldwyn.'

143

Thomas Ellis Cynlas Fawr
Sydd ar y llawr yn llywydd,
Ac yn aelod dros y sir
Yn dweud peth gwir a chelwydd,
Ond er hynny mae o'n nawr
Yn arwr mawr Meirionnydd.

AWC

Yn ôl Llwyd o'r Bryn, Meredydd Jones, Cynlas Bach, oedd
awdur y pennill hwn. Annerch T. E. Ellis (1859–99) AS
Meirionnydd ar y pryd yr oedd, ac yntau'n llywyddu cyfarfod
yn y cylch.

144

'Tae gen i wn dau faril
A b'ledi mawr fel sweds
Mi saethwn i Gynddelw
I lawr oddi ar y stej.

LlO: C 32

Siôn Huws y Crydd mewn cyfarfod llenyddol yn ardal
Conwy a Chynddelw (Robert Ellis, 1812–75) yn beirniadu.

145

Taflai Rhys ei ddillad gaea'
Ar y diwrnod cynnes cynta'.
Cafodd annwyd; byth ers hynny
Mae o'n gwlwm yn y gwely.

AWC 1141, 138

Trefald.

146

Teiliwr du bach yn gwisgo cot lwyd,
Yn ennill tair ceiniog a thriphryd o fwyd.

LlGC (Llên Gwerin Sir Gaerf.,1895), 542

147

Twm Elias ddigri
Sy'n byw ar bwys y Grugddu;
Yr unig fai sydd ar y dyn
Ei fod yn hoff o'r breci*.

AWC 3186/66

Am gymeriad o ardal Llanddewibrefi, Cered.
*Cwrw newydd heb eplesu

148

Twm Poole yn chwilio am waith,
Gweddïo ar Dduw na cheith o ddim chwaith.

Crwydryn gwlad yn Uwchaled. Am ei hanes a llun ohono
gw. ER/RG: YLlH 280-281.

149

Tri pheth a fedr Lewis Roger –
Gwneuthur gwaliau syth heb forter,
A dydd Iau mynd i Langefni,
A dydd Mawrth i garu Mali.

CM

150

Un ar ddeg ar hugen
Yw oedran Beti Marlen
A dyna fydd ei hoed o hyd,
(Mae yn y byd ers deugen).

DT

Llanwenog, Cered.

151

Ym Mhenbont Seithbont 'leni
Mae bitsh o forwyn gas,
Ei gwaith hi nos a bora
Yw rhedeg ar y gwas.
O ferched Llandygwnning,
A welech arna'i fai
Am brynu triwal geiniog
I gau ei cheg â chlai?

Ff a Th 6, 29

Rhigwm llofft stabal o Lŷn

152

Thomas Jones y llofrudd main
Aeth i'r coed i saethu brain;
Saethodd un yn nhwll ei thin
Er mwyn cael pres i brynu gwin.

AWC 2186/95

Llandanwg. Tebyg mai Thomas Jones a lofruddiodd ei gymar
Mary Bruton ar fynydd y Manod Mawr, Ffestiniog, yn 1895
yw gwrthrych y rhigwm dwli hwn. Am hanes y llofruddiaeth
gw. Carey Jones: *Y Mwrdwr ar y Manod* (Y Bala, 1984).

153

Twm Shors a'i asyn tenau
Aeth heibio ar un hwyr;
Pa un ai'r asyn ynte Shors
Gadd ofn – does neb a ŵyr.

Pan gododd haul y bore
Yr oedd y ddau yn ddafft –
Yr asyn oedd o fewn y drol
A Shorsyn yn y shafft.

AWC 2186/11

Am hen gymeriad o Landdewi Aber-arth, Cered., a gasglai
racs a gwerthu nwyddau.

154

Un byr a chrwn fel bwtwn
Yw ffeirad bach Tresimwn*,
A'i bregeth goch sydd lawn mor fain
Â'r chwain sydd ar ei filgwn.

TM

*Pentref ym Morg.; Bonvilston yn Saesneg.

155

Un cas yw Bilo Catws,
Dic bach yn grilon wadws
Am sbio dro drwy dwll y clo
Ar Bilo'n caru Magws.

TM

156

William Owen o Ben-sarn
Yn palu darn o dyndir;
Ia'n wir, os na ddaw haint
Daw tatws faint a fynnir.

Ff a Th 4, 35

Cilan, Caern.

157

Un disprad yw Dai'r Hendra
Ac ofer iawn, fi ginta,
Ond nid o's withwr yn y Fro
I'w guro am wneud cloddia.

TM

158

Un dwl yw Ianto'r Felin,
Mae'n rheci fel ynfytyn;
Rhaid bod rhyw bwll o frwmstan mawr
I lawr ym mola'r crwtyn.

TM

159

Wrth gwmpo ma's â'r gaffer
A chodi lot o grach,
Fe gollodd Twm Tycornel
Yn sydyn ei lamp fach,
A nawr mae fel hen widw
Yn llefen yn ddi-stop
A'i ddagrau mawr yn dishgyn
Fel ffroth o botel bop.

AWC

Pennill am rywun yn colli ei waith yng Nglofa Pantyffynnon,
Rhydaman, ac a gofnodwyd gan Amanwy (D. R. Griffiths, 1882–1953).

160

Watcyn Wyn
Sy'n byw 'Nghross Inn
A thwsyn bach o wisgers
Lawr fan hyn.

AWC 2186/17

Llandybïe. Cofnodwyd gan Gomer M. Roberts. Dywed y byddid yn
gwneud mosiwn i ddynodi lleoliad y farf wrth adrodd y llinell olaf.
Cross Inn oedd hen enw Rhydaman lle cedwid Ysgol y Gwynfryn gan
Watcyn Wyn (Watkin Hezekiah Williams, 1844–1905).

161

We crwt ym Blaencwmoiddan
A'i enw Rali-op
Yn mynd â'i ben tua'r ddaear,
Roedd ise tano brop.

Fe fuodd ym Mryncesyg
Yn fawr ei sŵn a'i ffair
Yn treio dal gwahaddod
Oedd yn yr hen ga' gwair.

Ond methu wnaeth e yno
Er cymaint oedd ei wanc;
Fe gariodd jogi* arno
A lowro wnaeth y llanc.

DT

Beulah, Castellnewydd Emlyn, Cered.
*Jogi – diogi
*Lowro – gostwng, ymollwng

162

Yn ochr Tregeiriog a chae Llidiart Coch
Mae Mari Siôn Jacob a werthodd y moch
Mewn ffair yn Llanarmon heb wybod i Siôn,
Ymhell ac yn agos amdani mae sôn.

LlGC (Gwenith Gwyn) 236, 180

163

Yn y Blaene mae dwy ladi
Sydd yn hoff o blannu coed
Er mwyn iddyn nhw gael cerdded –
Dail yr arel dan eu troed;
Helyg, bedw, gwern a derw,
Cyll a mall, ac ynn ac yw,
Coed y sieris a'r gwsberis,
A'r gelynen wyrddlas, wiw.

AWC

Llandybïe. Plas yn yr ardal yw Blaenau (Blaene).
Cf. 638 isod.

164

Yr hen Feto Hope
Yn byw fel y dryw;
Dou ŵr yn farw
A dou ŵr yn fyw.

DJW: HDFf 31

165

Ma' Dai yn fachan decha,
Fe weithia gyda'r gora
Os caiff i swper fara a chawl,
Neu ynteu'r diawl a bwda.

TM

166

Hen sgweier bach Tynbedw
Sy'n gyrru yn ofnatw,
I'w dynged aiff rhyw ddydd mewn ffos
Wa'th ddydd a nos mae'n feddw.

TM

MAN AC ARDAL A LLE

167

Aberdaron dirion,
Chwain a phigau hirion,
Pwt o wely gwael ei drefn
A swp o ddillad budron.

Ff a Th 4, 35

Rhigwm llofft stabal o Lŷn. Ceir amrywiad sy'n enwi Capel Garmon
ac iddo'r cwpled clo 'Pwt o wely bach di-lun / A phac o ferched
budron'.

168

Aberdaron dirion deg,
Morfa Nefyn, cau dy geg.

EG: Ll 69

169

Af oddi yma i Dreffynnon
Lle mae cyrchfa pobl ffolion;
Os oes cymar im ar gerdded
Dyma'r fan lle caf ei weled.

CM

170

Afon fawr 'di'r afon Daron
Tasa hi'n rhedeg ar ei hunion,
Ac i'r môr mae'n rhoddi llam –
On'd dydi'n biti 'i bod hi'n gam?

GP: CLIE 157

Ardal Rhoshirwaun, Llŷn

171

Afonydd Llandybïe
Sydd un o'r rhyfeddode –
Marles, Llwchwr Fach,
Nant-y-wrach a Gwine,
Nant-y-ci a Fferws,
Lash a Ffynnon Gwenlws,
A Gwyddfân yn rhannu'r ddwy,
A thyna'r plwy yn arllws.
Ond mae ffynhonnau'n tarddu,
Oes, mwy nag allaf gyfri,
O Landyfân i'r Felin-fach,
Ac amryw fân gwteri.

GMR: HPLl 14

172

Am Dy'n-y-wern a Glanymorfa,
Gelligronglwyd a'r Tŷ-isa,
Y merched heini a'r morynion,
Y mae hiraeth ar fy nghalon.

CM

173

Bara haidd a maidd glas
A ges ym mhlas Llwyncadfor,
A chyn fy mod i ym Mlaen-nant
Roedd arnaf chwant bwyd ambor*.

Bye-gones (1903) 22 Ebrill, 79

*Pryd ysgafn o fwyd

174

Bryngo Fawr a Bryngo Fechan,
Pont Pen-sarn a dau Lwynogan,
Tyddyn Pwyth a Gefail Domos
Lle bûm i yn cysgu echnos.

LlGC (papurau J.W. Jones)

175

Bu ffair Aberaeron i do ar ôl to
Yn fan atyniadol hyfrydol y fro,
Yn fan i gyfnewid y gyflog am waith
A rhoi iawn gyfeiriad i lwybrau y daith.
Morynion a gweision a gwragedd a phlant
Fydd yno 'r ôl cerdded dros fynydd a phant,
Ac ambell hynafgwr drwy gymorth ei ffon
A welir yn fore yn ffair glan y don.
Daw llwythau Llangeitho i ffair glan y môr,
Trigolion yr Ystrad fydd yno yn stôr,
A phobol Cilcennin a'r Ciliau a ddaw
I ffair Aberaeron drwy wynt a thrwy'r glaw.

AWC

Ffair gyflogi a gynhelir ar 13 Tachwedd

176

Caerdydd y sydd,
Llandaf a fydd,
Llandaf adeiledir
Â cherrig Caerdydd.

Bye-gones (1889) 13 Tach., 253

177

Crapsach bach Tre-lech
Yn rhifo'r erfin bob yn whech.

Ar lafar yn sir Gaerf.

178

Croes wyt ti a Chroes yw d'enw,
Croes a fyddi hyd dy farw;
O holl afonydd y byd yma
Afon Croes yw'r afon groesa'.

CD: HG 20

Afon sy'n llifo i afon Berwyn cyn cyrraedd Tregaron. Yn ôl un
traddodiad lleol, William Williams, Pantycelyn, a luniodd y rhigwm.

179

Caerfyrddin – daw oer fore,
Daear a'th lwnc, daw dŵr i'th le.

DT

Llanddewibrefi, Llangeitho. Cf. y cwpled a gofnododd
J. H. Davies yn *Cymru* ii (1892), 224:
> Pan sycho Llyn Farch
> Y sincith Caerfyrddin.

Cf. hefyd y rhigwm:
> Llan-llwch a fu,
> Caerfyrddin a sudd,
> Abergwili a saif.

ATD: CSG 117

180

Castell Carreg Aman*,
Rhys Owen wnaeth ei hunan
I Diana yn ddi-stop,
Y wal, y top a'r cyfan.

Y mae e wedi'i seilio
A hefyd ei *rough* castio,
Ni bu o'i fath medd rhai gwŷr ffôl
Oddi ar Dŵr Babel eto.

Tŵr Babel nis gorffennwyd
Er cymaint ag a wnaethpwyd,
Ond hyn o job trwy ddirfawr waith
A chymysg iaith fe'i cwplwyd.

AWC 1522/7

*Tŷ a godwyd gan Rhys Evans yn ymyl afon Aman.
Diana oedd ei wraig.

181

Cynwyl Elfed,
Lladron defed.

LlGC (Llên Gwerin Sir Gaerf., 1895), 543

182

Carrag y Llam* a'i wyneb llyfn
Traed yn y dŵr yn malio dim;
Golchi'i wyneb â dŵr hallt,
Byth yn meddwl gneud 'i gwallt.
Ar ei phen mae llwybrau dyrys
A hen fwthyn Dafydd Morus.

EG: AHBR 13

*Craig a chwarel yn ardal Llithfaen, Llŷn

183

Cloch our sy'n Pen-boyr,
Cloch leder sy'n Llangeler,
Cloch arian sy'n Nghilgerran,
Dincell, doncell
Draw'n y Bridell.

DT

Gw. hefyd 276 isod.
Aber-banc, Orllwyn Teifi, Cered. Mewn fersiwn arall cyfeirir
at 'Dair cloch Clyde'.

184

Craig-yr-allt* a'i gwallt yn wyn,
A'i chyfoeth hi yw rhedyn,
A hwnnw'n dda i bob dyn gwan
I ddodi dan 'i fochyn.

*Gerllaw Trimsaran, Caerf.

185

Darfûm deilio, darfûm gau,
A darfûm hau yn haeledd,
Rhyfedd iawn na chanai'r gog
Gerllaw y fawnog fwynedd;
Yr oedd yn canu 'mhell cyn hyn
Yn Nhal-y-llyn y llynedd.

CM

186

Dacw ben y bryniau gleision,
Dacw greigiau sir Gaernarfon,
Dacw ddyffryn hardd i'w rodio
Rhwng Llanrwst ac Ynys Dudno.

CM

187

Dacw bennau creigiau Arfon,
Dacw bont i groesi afon,
Dacw hefyd hwyliau gwynion,
Dacw hithau dref Caernarfon.

CM

188

Dacw dref Caernarfon wen
A Llanbeblig wrth ei phen;
Dacw Fangor gyda hynny
Lle cefais i fy nwyn i fyny.

CM

189

Dacw fwg Llanddewi'n* codi,
Does dim fater tae hi'n llosgi,
Pob rhyw newydd sydd ar gered
Yn Llanddewi cewch ei glywed.

DT

*Llanddewibrefi. Cofnodwyd ym Mwlch-llan, Cered.

190

Dacw fynydd Eglwysilan
Lle buo'i ganwaith wrthyf hunan,
Ac ar ei ben hen lwdwn cyrnig –
Miharan chwerw felltigedig.

Cymru xxxii (Meh. 1907), 300

Un o ganeuon yr ychen ym Morg.

191

Dacw Gader Idris wen
A'r haul yn t'wynnu uwch ei phen;
Mae fy nghalon i ar dorri
Eisiau bod yn agos ati.

CM

192

Dewch â'ch llaeth i ffatri Bryncir
Chwi amaethwyr bach a mawr,
Cewch amdano dri ond ceiniog
Gan Lywodraeth Prydain Fawr;
Tri ond ceiniog,
Dyma elw gwerth ei gael.

AWC 3275/9
Hysbyseb i ddiwydiant lleol, 1919

193

Ding dong Bela,
Canu cloch 'Bertawa,
Tynnu'r rhaff o dan y drws
A chanu cloch y Betws.

LlGC (Llên Gwerin Dyffryn Aman, 1907)

194

Dôl a gollir yw Dolgelle,
Daear â'i llwnc – dŵr yn ei lle.

Cymru ii (1892), 107

195

Dyma'r ffordd i Feidrim
A hefyd i Gaerfyrddin,
A dyma'r ffordd, mi ddala whech
Fynd i Dre-lech yr erfin.

LlGC (Llên Gwerin Sir Gaerf., 1895), 545

196

Dowcars y Bala
Heb ddim fala;
Dowcars y dre*,
Bara gwyn a the.

LlG 5, 20

Dolgellau. Ei gwawdio hi a'r Bala gan bobl Abermaw a geir yma.
'Dowcars' (cyf. bilidowcars) oedd y llysenw a roid ar y rhai a deithiai
am ddiwrnod i ymdrochi yn y môr.

197

Dŵr y Pistyll Bychan,
Rheda i'n sirioli;
Dŵr y Pistyll Bychan
Ddaw bob dydd i'n llonni.

Bye-gones (1899), 174

Am ffynnon ym mhlwyf Meifod, Trefald.

198

Er i Lewis Morris Môn
I Feirion ganu'n fore,
Ni chrybwyllodd hanner gair
Am glogwyn aur y Cloge.
Pe base'n dweud, buase'n beth
Go bwysig, oni base?

AWC 1866

199

Dyfrdwy fawr ei naid
Aeth ag Eglwys Llansan-ffraid,
Y Llyfrau Bendigedig
A'r Cwpan Arian hefyd.

Bye-gones (1872), 40

Yn ôl traddodiad yr oedd eglwys wreiddiol Llansanffraid Glyn
Dyfrdwy yn nes i lawr y glyn na'r eglwys bresennol, ond golchwyd
hi ymaith gan lifogydd mawr.

200

Dyffryn hardd yw Dyffryn Clarach
Ond ei fod yn ddyffryn afiach;
Nid oes yno un wraig briod
Heb fod yn famaeth neu yn feichiog.

201

Dyma ffwrnes*, ie campus,
I Mr Strick i elwa tocyns*;
'Tae Gwaith Tun yn dyfod eto
'Nillem arian fel pytato.

ER: HB, 39
*Ffwrnes flast – Y Ffwrnes Fawr – yng ngwaith haearn
Brynaman. Ei pherchennog oedd George Strick.
*Arian

202

Enwog iawn yw Plas Gogerddan*
'Mhlith palasau Cymru gyfan;
Enwog iawn ei bendefigion
Am eu rhinwedd a'u rhagorion.

AWC 1864
*Ym mhlwyf Trefeurig yng ngogledd Cered.

203

Er chwilio'r byd i gyd yn grwn
A threulio llawer amser,
Ni welais unman ar fy nhaith
Fel ardal Cwmpenanner.

EO:BC 22

204

Fe es am dro i shir Frycheiniog
Ble mae pedwar peth am geiniog;
Pupur a phapur, halen a hoelion,
Jiawch ariôd, fu tecach dynion?

MW:BIBC 57

205

Es i Fochriw i bregethu,
Cefais groeso fwy na mwy;
Sgadan cochion wedi'u pobi
Ges i ginio gyda hwy.
Dyna ginio
Rhyfedd i bregethwr da.

LlGC (Casgliad Gwernyfed)

Clywid fersiwn ar yr un pennill yn Ffair-rhos, Cered.:

Es i 'Sbyty* i bregethu,
Cefais groeso gyda hwy;
Sgadan heilltion wedi'u berwi,
Byth nid af i 'Sbyty mwy.
Byth mi gofiaf
Am y cawl a'r sgadan hallt.

*Ysbyty Ystwyth

206

Ewch am dro i ben bryn Hendra
I gael gweled Plas Bodwrdda,
Dacw fo a'i bum corn arno,
Melin a phandy'n agos ato.

AWC 3275/13

Rhoshirwaun, Llŷn. Mewn fersiwn arall ychwanegir tair llinell ar y diwedd, sef:

Penycaerau fras, Cadlan fras a'r Bryn,
Penrhyn Mawr a'r Morfa Mawr
A thŷ Dafydd Lwm.

LlG 52, 15

207

Ffarwel rof i sir Fôn glir
A hefyd i Gaernarfon;
Ffarwel eto mam a thad,
Rwy'n mynd i wlad y Saeson.
Ond yn ôl y dof yn hy
I dario i Gymru dirion.

CM

208

Garn Fadrun fawr fawreddog,
Ynot ti mae llawer llwynog,
Rhwng dy greigiau maent yn llechu
Ar y glaw rhag iddynt wlychu.

AWC 2186/84

Botwnnog, Caern.

209

Garn Fadrun gron fodrwy
Lle mae cerrig da ofnadwy
Yn enwedig i gau adwy.

AWC 2186/84

Botwnnog, Caern.

210

Hardd a gwych y gwela i'r dyffryn
A phob man o gwmpas Rhuthun,
Ac eto er hyn mae 'nghalon beunydd
Mewn rhyw gwr o sir Feirionnydd.

CM

211

Hardd yw Llundain, hardd yw Llwydlo,
Hardd yw 'Mwythig, Caer a Brysto,
Ond harddaf man wyf yn adnabod
O bob lle yw tre Llandrindod.

AWC 2186

212

Ger Tringyll* wyf yn gweithio
Ac yno rwyf i heno
Yn wara'r delyn wrth y tân
A Modryb Siân yn downso.

LlGC 14368, d.d.

*Trerhingyll ym mhlwyf Ystradowen ym Mro Morgannwg

213

Goetre* glawd,
Heb na bara na blawd.

Archaeologia Cambrensis (7fed gyfres) i. 145-146
Plwyf y Goetre, Mynwy – plwyf ac iddo *poor, hungry soil* yn ôl yr
hanesydd Joseph Bradney.

214

Harlech lwm a Bermo leuog,
Tal-y-bont yn chwil gynddeiriog,
Cae'n-y-coed, lladron erioed,
A witshis Coedystumgwern.

Cymru ix (Meh. 1895), 249

215

Hyfryd iawn yw ochrau Nantglyn,
Rhed eu clod oddi yma i Ruthun,
A thlws yw'r mynydd geir i dramwy
Hyd i waelod Hafod Elwy.

CM

216

I dafarn Bryntrillyn* daw'r cwrw brag,
Bariliau llawn, a mynd o 'ma'n wag,
Ond mae'r morynion yn wahanol iawn –
Dônt yma'n wag a mynd o 'ma'n llawn.

M ap D: ETC 74
*Heddiw y *Sportsman's Arms* ar Fynydd Hiraethog.

217

Gwŷr Llanddeusant capau crwyn,
Lladron defaid, mamau'r ŵyn.

Cymru v (Hydref 1893), 159
Danodid hyn i blwyfolion Llanddeusant, Caerf., gan drigolion
plwyfi cyfagos. Cofiai rhai, meddid, eglwys y plwyf ar gau am
fisoedd unwaith am fod yr offeiriad a'r clochydd yn y carchar yr
un pryd – y naill am ddyled a'r llall am ddwyn defaid.

218

Hen wraig a aeth i frwyna
I ochor Bwlch-y-groes,
Ac aeth i ben yr Aran
Am unwaith yn ei hoes.
Ac wedi cyrraedd yno
Edrychodd ar i lawr;
Ni wyddai 'rioed cyn hynny
Fod y byd mor fawr.

SJ: SCC 12

219

Hendre-wen* ar ben y banc,
Lle gorau'n Llŷn i fagu llanc.

Ff a Th 4, 35

*Hendre-wen, Rhydyclafdy, Caern.

220

Lacharn lwchwrn lwyd
Lle nad oes bwyd am arian,
Na gwely gwellt na chyrch i farch,
A phwy roiff barch i Lacharn?

LlGC (Llên Gwerin Sir Gaerf., 1895), 544

221

Llambed ar Fynydd a Llambed y Fro,
Pen y Casnewydd ac Efail y Go',
Efail y Go' a Phen y Casnewydd,
Llambed y Fro a Llambed ar Fynydd.

AWC 1468/55

222

Llanefydd, lle nefol,
Lle da i fagu diafol.

AWC 3275/2

Ceir 'Lle da i fagu llo du' mewn fersiwn arall.

223

Login lygod, Wesyn wasod,
A Rhiw-lug a Dyffryn Llynod,
Llannarth lonydd, Llan'sul effro,
A Throed-yr-aur a Llandysilio,
Llangynllo gynllwyn, Llanfairorllwyn,
Henllan frwynen.

DT

Dyffryn Cerdin, Cered.

224

Llan fach* rhwng dau fynydd,
Heb na llwyddiant na llawenydd,
Llawn o wenwyn a chenfigen,
Meddwch chwi – ai dyma uffern?

Cymru xxix (1905), 45

*Llanfachreth, Meir.

225

Llanbabo bibo,
Clwt-y-bont yn clytio,
Llanrug yn hel y grug
A Phenisa'r-waun yn piso.

AWC 3248

Rhigwm a adroddid gan blant y Waunfawr, Caern.

226

O'r Aber-bach ger Hendre-mur
At dafarn bur Gwybedyn,
O Gwm Blaen-lliw i ben Cwm-moch
I olwg cloch Llandecwyn,
I'r Prysor Gwm, os nad yn uwch
Os na bydd lluwch ac eira,
Ac os yn glir y bydd y nen
Ceir gweled pen yr Wyddfa.

Ardaloedd ym Meir.

227

Mae capel Jeríw
Fel nyth fach y dryw;
Mae'n hyfryd mynd yno
I foli ein Duw.

Am gapel bach o'r enw Jeriwsalem ar gyrion Trawsfynydd.

228

Llanelli, Llangollen a Chaerwys a Chorwen,
Llanelwy, Llaneilian, Tre'r Glomen a'r Glyn,
Y Bala, Drenewydd a Thywyn Meirionnydd,
Trawsfynydd, Llanufudd a Nefyn.

CM 593, 534

229

[Pobl Penllyn am Lanfachreth:]
Llanfachreth yr uwd tew
A'i lond o flew ceffyle.
[Ateb:]
Penllyn llymru tena'
A'i lond o drochion sana'.

LlG 5, 20

230

Llangybi làn
Os heb arian.

Cymru ii (1892), 108

Llangybi, Eifionydd. Yn *Cymru* iv (1893), 215 ceir:
Llangybi làn
Os bydd arian.

231

Mae Pen-y-gro's* yn ben o'r gore –
Erlid clecs a dweud celwydde.

AWC 2186/17

* Pen-y-groes ger Llandybïe, Caerf.

232

Llandeilo Fawr ar ael y bryn,
Llandeilo Fach gerllaw,
Llandyfri dref a'i grudd yn wlyb
Yn cwato rhag y glaw.

DT

Bronnant, Cered.

233

Mae castell yn Harlech,
Un hardd ydi hwn,
A mynwent ac eglwys
A diawl o dŷ crwn*.

AWC (Tâp 1298)

*Lle y teflid y sawl a dorrai'r gyfraith. *Round-house*. Arferai un cymeriad eistedd ar ochr y ffordd a chanu'r rhigwm hwn yn ei fedd-dod.

234

Ni welais yn Ffrainc
Erioed nac yn Sbaen
Ddim gwaith mor ardderchog
 chei Portin-llaen.
Mae hwn yn rhagori
Ar weithiau'r holl fyd;
Gobeithio gwna nodded
I longau pob pryd.

EG: AHBR 18

235

Llanwnnen, lle llawn annwyd,
Lle llwm am dân,
Lle llawn am fwyd.

HE/MD: FWI 110

Cyfeirir at blwyf Llanwnnen fel lle llwm am dân gan nad oedd yno gors fawr o gryn faintioli. Mawn oedd prif danwydd y tyddynwyr ganrif yn ôl. Byddai'n rhaid ei gludo i mewn i'r plwyf i ddiwallu'r angen. Mewn fersiwn yn *Cymru* ii (1892), 106, ceir Llwchwr yn lle Llanwnnen.

236

Mae Llanelwy mewn lle tirion
Ar fryn hyfryd rhwng dwy afon,
Clwyd ac Elwy – un o bobtu –
Dyna'r fan ddifyrra 'Nghymru.

CM

237

Mae newid yr enw yn dipyn o beth,
Mae enw canolig ar le da yn dreth;
Wel dyma y flwyddyn, a diolch am hyn,
Y claddwyd y Gwter, y codwyd y Bryn*.

ER: HB 37

*Brynaman. Yr hen enw arno oedd Y Gwter Fawr.
Digwyddodd y newid yn 1864.

238

Mae stesion Llangybi* yn stesion go dda,
Rhai'n tryco defaid a rhai'n tryco da,
Tryco ffowls o bob rhyw,
Rhai'n farw a rhai'n fyw.

AWC 2186/66

*Llangybi ger Llambed, Cered. Rhigwm o Dregaron.

239

Mae pobl Llanfyllin a'i bro
Yn wastad fel cacwn yn heidio;
Hwy ddeuant yn llu ar fyr dro
I'r heol i weled pob cyffro.

Cymru ii (1890), 106

240

Mae'n o'r, mae'n o'r ar lan y môr;
Mae'n oerach, mae'n oerach yn Llangyfelach.

LlG 69, [24]

Cwm Tawe

241

Mae tafarn yng Nghilgerran
O'r enw *Angel Inn*,
A chwrw coch am arian
A gwasgu'r ferch am ddim.

M ap D: ETC 75

242

Mae Tregaron fach yn mygu,
'Waeth gen i petai yn llosgi;
Pan ddaw newydd drwg i unlle,
Yn Nhregaron mae e'n dechre.

Llafar (1951), 71

243

Maen nhw'n dwedyd mai lle tirion
Ydyw Clynnog Fawr yn Arfon,
A'r tecaf man o Gaer i Gonwy
Ydyw mynwent Llanystumdwy.

CM

244

Maent yn dwedyd yn y Dyffryn
Fod y cig yn ddrud yn Rhuthun;
Minnau brynais am ddwy geiniog
Senne* buwch a choesau sgwarnog.

*Asennau, ais

245

Melin Llynnon sydd yn llamu,
Pant-y-gwŷdd sy'n ateb iddi,
Felin Borth a'r felin Adda –
Llannerch-y-medd sy'n malu ora'.

LlG 81, 13

Rhai o felinau gwynt Môn

246

Mi deithiais yn llawen dros riw y Garneddwen,
Yr oeddwn yn gymen dan heulwen yr ha';
Ond cefais fawr ddrycin yn ymyl Llanuwchllyn
Wrth fynd ar ebolyn i'r Bala.

CM

247

Mi ddymunwn cyn fy marw
Weled Pandy Melin Deirw,
Pen-y-graig a'r ddau Gamhelyg,
Llechwedd-gwyn a'r Erwgerrig.

LlGC (Gwenith Gwyn) 236, 180

Dyffryn Ceiriog

248

Moc y masiwn wedi misio,
Pont Llangollen wedi cracio;
Os na feindiwch wrth fynd drosti
Lawr y byddwch wedi boddi.

DT

Elerch, Cered.

249

Myfi a bia Craig y Gribyn,
Ceunant Du a Gwely Owddyn,
Y Maen Llwyd a'r Foty 'Nghedig,
Trum y Sarn a'r Filltir Gerrig.

CF: NC 39

Mannau o gwmpas Llyn Efyrnwy

250

O Fwlch Bares os bydd yn eglur
Dyffryn Clwyd i gyd a welir,
Rhuthun fawr a Dinbych hefyd,
Pont Llanelwy yr un ennyd.

CM

251

Nercwys lwcus tri phren bocs,
Merched a meibion yn gwisgo clocs.

AWC

Y ddwy linell gyntaf mewn fersiwn arall yw:

Ysbyty Ifan
Dau bren bocs.

LlG 2, 9

252

Ni ddwed neb ond gwŷr celwyddog
Ei bod yn bwrw yn Ffestiniog,
Yno mae yr haul yn t'wynnu
Yn fwy nag unrhyw dre yng Nghymru.

DT

Llangynfelyn, Cered.

253

O ben y Garn ceir gweld sir Fôn
A thyrau drysau Arfon,
Ac ar rai prydiau pan yw'n glir
Fe welir tir Iwerddon.

Golygfa o Nefyn

254

O Lanandras i Dyddewi,
O Gaergybi i Gaerdydd.

Bye-gones (1899), 53

255

Pe byddai'r 'Rennig Fawr yn gaws
A'r 'Rennig Fach yn fenyn,
A'r Aran fawr yn fara gwyn
Mi fyddai mwy o enllyn*.

LlGC 2631, 113

*Rhywbeth blasus a maethlon

256

Os oes aur ym mol Carndochan
Mae yn anodd ei gael allan.

S ap O: GM 6
Rhigwm perthynol i waith aur Carndochan, Llanuwchllyn

257

Pa le mor hardd â'r Wyddfa wych
Ar hafddydd sych pan rodiwn?
Gweld Cymru oll a Werddon gàn
A'r Eil o' Man os mynnwn.

CM 593, 535

258

Pan elo hi'n rhyfel ar hyd y byd,
Godre'r Berwyn, gwyn eu byd.

Cymru v (1893), 22

259

Pe bawn i berchen ar Fathafarn
O sail fawr, ac Aberffydlan,
Neu yn aer ar Faesypandy,
Mynnwn bont ar afon Dyfi.

CM

260

Pan ddaw *railway* i Dalgarreg
Bydd John Pant-swllt yn dechrau rhedeg,
A Marged Jones yn clapo dwylo
Wrth weld yr *engine* fach yn paso.
Dyma le, hawyr bach,
Pan ddaw relwe i Dalgarreg
Ac o fan'ny i Gei-bach.

ELIJ:HT
Bu bwriad unwaith i fynd â'r rheilffordd i Geinewydd, Cered. Un o'r
cynlluniau oedd dod â hi ar hyd Dyffryn Cletwr i Dalgarreg ac
ymlaen i Gei-bach ychydig i'r gogledd o Geinewydd.

261

Pencwns* Aberteifi yn yfed diod goch,
Smoco lot o faco – ach-y-fi, y moch!

AWC 1852
*Pobl ystyfnig, cildynnus

262

Pentre Garreg Bach
Tan y Marian Dibyn,
Pentre Garreg Fawr
A Bryn-glas wedyn.

LlG 28, 17
Llanfair Mathafarn Eithaf, Môn

263

Pentre Mawr a Fron Coed derw,
Ty'n y Rhos a Thy'n yr Erw,
Pentre Bach a Phengwern dirion,
Dyna flodau Cerrigydrudion.

ER / RG: YLlH 49
Ardal Cwmpenanner

264

Penygarnedd* ar y gornel,
Y mae yno siop a chapel,
Dwy neu dair o siopau seiri,
Siop y crydd a siop i feddwi.

NR:CN 48
*Pentref bychan rhwng Pen-y-bont a Llanfyllin, Trefald.

265

Plwy Cilrhedyn, llwyn o yw,
Lle mae'r merched glân yn byw,
A phlwy Clyde, llwyn o helyg,
Lle ma'r merched melltigedig.

LlGC (Llên Gwerin Sir Gaerf., 1895), 546
Ardal a phlwyf yn sir Benf. yw Cilrhedyn a Chlydau. Cf. 288 isod.

266

Penllyn llymru tena'
A'i lond o drochion sana'.

Cymru iii (1892), 137

'Meddai pobl Llanfachreth.' Gw. 229

267

Pobol Cilan*, dowch i lawr
I weld y dyrnwr yn y Penrhyn Mawr;
Mae o'n troi fel yr Ysbryd Drwg
A llond ei din o dân a mwg.

Ff a Th 26, 32

*Ardal Llanengan, Caern.

268

Prydferthach man nid oes drwy'r broydd
O Hafren deg hyd môr Iwerydd
Er chwilio Cymru wen i ddewis
Na'r pantle cain o gylch Rhydlewis.

J.N. Crowther*

AWC 2186/14

*Ysgolfeistr o Sais a ddysgodd Gymraeg, ac y bu Caradoc Evans
yn ddisgybl iddo yn Rhydlewis.

269

Pwllheli, pwll halan,
Pwll 'gosa i bwll uffarn.

EG: Ll 52

270

Sir Feirionnydd sy'n cael clod
Am garu a bod yn llawen;
I ŵr ag arian gydag e
Llawenach lle yw Llunden,
Ac i gardotyn gwaela man
Adnabum dan y wybren.

CM

271

Sir Fôn union, dyna'i henw,
Oddeutu hon mae trai a llanw,
Ychen duon dynn yn gethin,
A gwŷr doethaidd wrth dân eithin.

CM

272

Rwy'n byw yng Nghastell Fforch-y-nant,
Lle iachus iawn i godi plant;
Ond dyma'r lle i godi moch –
Yn Llanfairpwllgwyngyllgogerychwyrndrobwll
llandysilio-gogo-goch.

Resolfen, Morg.

273

Sir Aberteifi, sir Abernoeth,
Sir bara barlys a bwdran* poeth.

AWC 1852

*Math o lymru tenau

274

Tatws a sgadan,
Medd clychau Llanbadarn.
Hen glawdd cerrig,
Medd clychau Llangurig.

Bye-gones (1874), 128

Ardal Llanidloes

275

Wel dyma Gwm y Blaene
Yn un o'r rhyfeddode;
Llwchwr Fach a Nant-y-wrach
Ac afon Blaen-nant-gwine.

AWC 2186/17

Ardal Llandybïe, Caerf.

276

Tair cloch bren yn Dre-wen,
Tair cloch [o]ur ym Mhen-boyr,
Tair cloch arian yng Nghilgerran,
Llefain a gweiddi yn Aberteifi,
Lladd a llosgi yng Nghastell Newy'.
DT
Llandysul, Cered. Gw. hefyd 183 uchod.

277

Tri pheth o Fawddwy a ddaw;
Dyn atgas, nod glas a glaw.

Cymru ii (1892), 106
Cf. yr englyn:
O Fawddwy ddu ni ddaw – dim allan
A ellir eu rhwystraw,
Ond tri pheth helaeth hylaw –
Dyn atgas, nod glas a glaw.

Bye-gones (1879), 315

278

Tri thafarndy sy'n Tre-fin,
Y *Ship*, y *Swan* a'r *Fiddler's Green*.
M ap D: ETC 76

279

Tai'n y Foel a Thy'n y Gilfach,
Llechwedd Llyfn sydd dipyn pellach;
Glan-y-gors a Pherthi Llwydion –
Dyna flodau Cerrig'drudion.

Tŷ Tan Llwyn a Thŷ Tan Dderwen,
Tai Mawr a Phentrellawen,
Foty [Arddwyfan] a Cheseilgwm –
Dyna flodau ardal Llangwm.
LIG 5, 19
Enwau ffermydd yn Uwchaled. Am wybodaeth amdanynt
gw. Robin Gwyndaf yn ER / RG: YLIH.

280

Tra bo haul yn t'wnnu'n felyn
Ar ben sgubor Jams Bryncelyn,
Tra bod cynffon wrth din mulfran
Nid aiff diogi byth o Gilan.

LlG 11

Cilan, Llŷn. Perthynas agos yw'r pennill hwn:

Tra bo haul yn t'wynnu'n felyn
Ar y graig gerllaw Cwmdeulyn,
A thra torch am wddw milgi
Nid êl medd-dod o Lanllyfni.

CM 117, 24

281

Trawsfynydd, hen le hyll,
Dynion cam yn torri cyll.

Cymru ii (1892), 106

282

Ym Marcroes* mae rhai dynion
O linach y prydyddion;
Os tynniff neb yn gro's i'r gra'n
Cânt bwt o gân yn union.

TM

*Plwyf a phentref ym Morg.

283

Wrecsam Fechan a Wrecsam Fawr,
Pentrefelin ac Adwy'r Clawdd,
Casgen Ditw a Thafarn-y-gath,
Llety Llygoden a Brandy Bach.

M ap D: ETC 44

Pedair tafarn ar ffordd y porthmyn a âi o Landegla am Wrecsam.
Yn Nhafarn-y-gath y trigai Ehedydd Iâl gynt (William Jones,
1815–99), awdur yr emyn 'Er nad yw 'nghnawd ond gwellt'.
Talfyriad yw 'brandy' yma o'r gair 'ebrandy', sef 'tafarn neu fan
lle'r arhosai teithwyr gynt i borthi eu ceffylau' (gw. GPC dan y
gair *ebrandy*). Enw anwes ar gath oedd 'titw'.

284

Ym Meddgelert ces fy ngeni,
Ym Meddgelert mae'm rhieni,
Ym Meddgelert y caf orffwys,
Ac o Feddgelert i Baradwys.

DT

Cered.

285

Ym Mrynsiencyn mae'r brain sionca,
Ym Mryn-du y mae'r brain dua,
Ond ym Mryngwran mae'r brain gora.

LlG 4, 19

286

Tref-y-ddôl a Thal-y-bont
A chwrw stont* Siân Morgan,
A'r gwaith yn brin ym mwyn y plwm
A'm gwnaeth yn llwm o arian.

Ystên Sioned (1894), 132

*Cryf, cadarn
Rhigwm ac ynddo adlais o'r diwydiant mwyn plwm yng
ngogledd Cered.

287

Y Bala aeth, a'r Bala aiff,
A Llanfor aiff yn llyn.

Cymru v (1893), 33

Neu 'A Rhuthun yn dref harbwr'. *Cymru Fu* 238.

288

Yn Llanbryn-mair mae llwyn o yw,
Meibion, merched mwyna'n fyw;
Ym Machynlleth, llwyn o helyg,
Meibion, merched sur a sarrug.

CM

Cf. 265 uchod.

289

Y mae cartws ym Mlaen-coed*,
Y cartws rhyfedda a welais erioed;
Mae ei hyd yn ddiddiwedd a'i led yn ddi-stop,
Y ddaear yn waelod a'r nefoedd yn dop.

AWC

Blaen-y-coed, Cynwyl Elfed. Nid oedd cartws yno, a chedwid y
certi allan ar y clos dan gysgod y coed. Mewn ambell fersiwn
lleolir y cartws (neu weithiau garej) mewn ardaloedd eraill.

290

Yr oeddwn i neithiwr yn Nhafarn-y-coed
Cyn feddwed â neb a'r a welsoch erioed.

M ap D: ETC 75

'Mae tafarn o'r enw Tafarn-y-coed yn Llanelli o hyd, a 'does
wybod nad yn y fan honno y cafodd awdur anhysbys y cwpled
hwn ei sbri.' (Myrddin ap Dafydd)

291

Yng Nghraigaderyn*, deg ei gwên,
Mae llawer hen ddylluan,
I gopa hon â'i thraed ar led
O'r Foelfre hed y fulfran.

CM

*Craig urddasol uwchben Dyffryn Dysynni, Meir. Mangre hoff
gan fulfrain.

292

Yn Llety-caws y bûm yn lodjo,
Fawr o gysur ond tobaco,
Llaeth a menyn, te a siwgwr,
Llety-caws yn byta'r cwbwl.

Ar lafar yng ngogledd Cered. ac yn adlais o gyfnod y diwydiant
mwyn plwm yno. Saif Llety-caws (Llety'r Caws Duon gynt) ger
pentref Cwmerfin ym mhlwyf Trefeurig. Yn y fersiwn a geir yn
AWC 1864 y ddwy linell olaf yw:

Cario menyn, te a siwgwr,
'R hen wraig fach yn sgwlca'r cwbwl.

293

Yng Ngherrigydrudion y coedydd sydd brinion,
A'r cloddiau yn llymion o gwmpas y Llan;
Ni welir o Moelfre hyd dyrpeg Cernioge
Ddim deunydd pâr oge pur egwan.

ER / RG: YllH 57

294

Yn Nhŷ-nant* mae cwrw llwyd,
Mae yn ddiod, mae yn fwyd;
Mi a'i yfaf lond fy mol
Nes bydda i'n troi fel olwyn trol.

Ff a Th 13, 6

*Tafarn rhwng Cerrigydrudion a Chorwen (LlG 12, 16).
Mewn fersiwn arall ceir 'Drws-y-nant'.

295

Yr hedydd bach diniwed, os myned wnei yn awr
Oddi yma i sir Ddinbych er bod y siwrne'n fawr,
A disgyn ger y castell ar fonyn sydd o fry,
Oddi yno gelli weled fy annwyl wyrion i.

CM

296

Ymdrochle Ffontygari*
A'r cwmni iach heb ffwlbri
Sy'n galw – ac fel gwennol af
Bob haf i'r fan rwy'n hoffi.

TM

*Bae ac ardal ym Morg.

DOETHINEB, GWIRIONEDD, A RHIGYMAU AT IWS

297

A sydd am angor a B am y byd,
C am y ci, Ch am chwip pan fo bryd,
D am y dyn ac Dd am y ddraig goch,
E sydd am esgid ble bynnag y boch,
F am y fegin a Ff am y ffon,
G am y geifr sydd ar ochr y fron,
Ng am engyl sydd yn hedfan fry,
H am hosanau ac I am inc du,
L am lamp olau ac Ll am y llaw,
M am y mochyn sy'n byw yn y baw,
N am nyth deryn ac O am olwyn gron,
P ydyw pedol i'r merlyn bach llon.
Ph am botel phisig ac R am y rhaw,
S am stôl drithroed a T am tu draw,
Th am ei thelyn yn mynd i roi cân,
U sydd am utgorn, W am wy brân,
Y sydd am ysgol ac Y sydd am ŷd.

RG: BF 15

298

A ddywed beth a fynno
Gaiff glywed beth nas mynno.

MF: GE 72

299

A ddywedo leiaf
Hwnnw yw'r callaf.

Cymru lxx (1926), 177

300

A arddo ar eira
A lyfno ar law,
Ni fed y gŵr hwnnw
Ond chwyn a baw.

AWC 2186/11

Cf. 313 isod.

301

A ddygo wy
A ddwg a fo fwy.

DT

Bronnant, Cered.

302

A gano yn ei wely
A gria cyn cysgu.

LlGC (Llên Gwerin Môn 1890), 35

303

A glywsoch ddywediad y frân ar y rhos?
'Fy mhlant hoff, gofalwch fod gartref cyn nos.'

DT

Aber-porth, Cered.

304

Agor dy glust ac agor dy lygaid,
Ond cau dy enau sydd angenrhaid.

DT

Cwmpadarn, Llanbadarn Fawr, Cered.

305

Amser a â heibio
Wrth chwarae ac wrth weithio.

DLl 42

Buallt, Brych.

306

A ydych yn ffrind i fi? Odw.
Wel, gwasgwn tra bo' ni.
A ydych yn ffrind i fi? Nadw.
Wel, gwasgwn nes bo' ni.

DT

Beulah, Castellnewydd Emlyn, Cered.

307

A heuo'i geirch yn Ionor
A gaiff aur a phres a thrysor,
Ond yr hwn a heuo'n Mai
Gaiff wneud y tro ar lawer llai.

Ff a Th 7, 16

Caern.

308

Ar hindda mae cynufa*
Rhag annwyd y gaea'.
Ar hindda mae gweithio
Rhag newyn pan ddelo.

LlG 24, 24

*Cynaeafa. Weithiau ceir 'cynulla'.

309

Ar i fyny byth na yrrwch,
Ar i waered na phrysurwch,
Ar y gwastad nac arbedwch,
Yn y stabal nac anghofiwch.

Ff a Th 3, 12

Sut i drin ceffyl

310

Blodau cynnar ym Mehefin,
Bydd cynhaeaf cynnar wedyn.

LlG 4, 4

311

Ara bach a bob yn dipyn
Mae sycu bys i din gwybedyn.

Gogledd Cered. Ar lafar yn gyffredin gyda rhai mân
amrywiadau.

312

Araf mala melin Duw
Ond un sicr, sicr yw.

LlGC (DRP) 418, 17

313

Aredig ar rew,
Llyfnu ar law
A yrr yr amaethwr
Yn glou i'r claw'.

DT

Atpar, Castellnewydd Emlyn, Cered. Yn Llanbedrog, Caern., ceir un
llinell yn lle'r cwpled olaf, sef 'A medi baw'. Cf. 300 uchod.

314

Beth a ddwedaf am y byd?
Mai byw o hyd wyf ynddo,
Ni wn beth eto ganddo gaf
Na'r pryd yr af ohono.

Y Brython ii. 293

315

Bloneg moch Cydweli
A swnd* o Landyfân,
Wrth hogi'n amal, amal,
Fe dyr yn eitha glân.

GMR: CDP 42

*Tywod, graean. Cyfrifid hwn yn dda i'w roi ar y rhip i hogi pladur.
Mewn fersiwn a gofnodwyd yn Tarian y Gweithiwr (1900) 26 Gorff.,
dyma'r cwpled olaf: 'A chwart o gwrw Pegi / Mi dorrwn gyda gra'n'.

316

Brân i frân,
Slwt i leban,
Pawb i chwilio
Math ei hunan.

EH: CGCLl 25

317

Bydd di gynnil ar dy geiniog;
Chwip yr â, hi ddaw yn ddiog.

Cymru lxx (1926), 178

318

Byr garu,
Hir ddyfaru.

Cymru xlv (1913), [164]

Llanfrothen, Meir.

319

Byw'n dlawd er marw'n ŵr aberthog
Yw cais y cybydd anhrugarog,
Ac ar ei ôl rhaid gado'r cyfoeth
I'r un a'i gwasgar mewn modd annoeth.

Ystên Sioned (1894), 72

320

Awr fawr Galan,
Dwy Ŵyl Eilian,
Tair Ŵyl Fair
Os nad bedair.

MRW:DA 106

Y gred oedd fod y dydd yn hwy o awr erbyn dydd Calan, o ddwy
awr erbyn Gŵyl San Eilian (13 Ionawr) a thair, onid pedair erbyn
Gŵyl Fair y Canhwyllau (2 Chwefror). Barn Dr R. Alun Roberts
oedd, 'Mae mwy o odl yn yr hen bennill nag o wirionedd'. Yn
Nyffryn Nantlle gorffennid y pennill â'r llinell: 'A digon o ddydd o
hynny allan'. LlG 44, [24].

321

Byth nac oeda hyd yfory
Yr hyn a elli wneuthur heddi.

CA ii (1882), 370

322

Cachu ci, cachu cath,
Cachu mochyn jest 'r un fath.

LlG 20, 9

Mewn rhai ardaloedd 'piso' yw'r gair allweddol.

323

Cais chwilio perfedd pob digwyddiad,
Achos, ymod a dechreuad
Ag eithaf pwyll, dynoldeb hygall,
Cyn barnu ar ddim, cais gyfiawn ddeall.

DT

Cwmpadarn, Llanbadarn Fawr, Cered.

324

Cân pob ceiliog ar 'i domen 'i hun,
Ac felly y gwna pob llwfwr ddyn.

AWC (Tâp 4480)

Tregeiriog, Dinb.

325

Cath ddu – cadw gofid ma's o'r tŷ,
Cath wen – cadw gofid yn 'i phen.

LlG 7, 15

Caerf.

326

Cofiwch yr hen ddihareb ddoeth:
Curwch yr haearn tra fyddo'n boeth.

DT

Bwlch-llan, Cered.

327

Care fain o dan yr ase,
Bylchau bawd o war y clustie,
Dyna ydyw nod Moelprysge

EJ: CSM 48

Rhigwm i gofio nod clust a berthynai i fferm arbennig. Ceir
enghraifft arall gan yr un awdur:

Nod Dôl-goch ar hyd yr oesau
Ydyw torri blaen y clustiau,
Tac bach twt o dan y pella
A'r un fath o war y nesa.

328

Cas gan ddiogyn fynd i'w wely,
Casach fyth yw codi i fyny.

LlG 32, 6

329

Cath ddu mi glywais ddwedyd
A fedr swyno hefyd
A chadw'r teulu lle mae'n byw
O afael pob rhyw glefyd.

LlGC (Llên Gwerin Dyffryn Aman, 1907), 123

330

Cath mis Mai
Gaiff y bai
Cario nadredd
Mewn i'r tai.

LlGC (Llên Gwerin Sir Gaerf., 1895), 349

331

Cosi ar y llygad de
Llawenydd o bob lle;
Cosi ar y llygad chwith
Dagrau fel y gwlith.

LlGC (Llên Gwerin Môn), 95

332

Ceiliog gwyn na chath ddu
Na chadw 'rhain yng nghylch y tŷ.

LlG 70, 16

333

Ceiliog yn y nos yn canu
Sydd yn arwydd caf fy nghladdu,
Ond cyn hynny drwy drugaredd
Gallaf fyw am ddeugain mlynedd.

AWC 3396/4

Llanfair-pwll, Môn.

334

Ceir digon o ffrindiau mewn amser o hawddfyd
Ond un o ugain mewn amser o adfyd.

AWC 2186/3

335

Celyn, eiddew, ffaw ac yw,
Ni chyll mo'u dail tra bônt byw.

Bye-gones (1896), 496

336

Cof a lithra,
Llythyr a gadwa.

LlG 71, 11

337

Ceiniog a cheiniog
A hanner dwy geiniog
A grot* a phumceiniog yw swllt.

*Yr oedd grot (neu 'grôt') yn bedair hen geiniog o dan yr hen drefn,
ac yr oedd deuddeg ceiniog mewn swllt. Mewn rhai ardaloedd
lluniai'r pennill bos, gan orffen, 'Grôt a phum ceiniog / A thriswllt'.
Yr ateb i'r pos oedd – pedwar swllt.

338

Ci yn udo ar noson ole –
Bydd rhywun farw cyn y bore.

DT

Llangynfelyn, Cered.

339

Cod dy ben i fyny,
Paid dangos dy wallt gwyn;
'I ddaw rhyw ofid arall
I baso'r gofid 'yn.

MW: BIBC 57

340

Cod o dy wely ar feddwl cael byw,
Rho ddŵr ar dy wyneb, mi altrith dy liw,
Dwad dy badar cyn byta tamad o fwyd
Rhag ofn i'r hen ddiafol dy ddal yn 'i rwyd.

AWC

Llanfair Mathafarn Eithaf, Môn.

341

Cosi ar eich penelin chwith –
Rhywun dieithr ddaw i'ch plith.

LlGC (Llên Gwerin Dyffryn Aman, 1907), 210

342

Cosi ar ganol y llaw –
Arian mawr a ddaw.

DT

Llangynfelyn, Cered.

343

Cyfraith y Brenin Dall,
Cynta ddibenno i helpu'r llall.

LlGC 10551 (d.d.)

Llanwenog, Cered.

344

Cyn bod yn ddedwydd rhaid i'r gŵr
Gau ei lygaid weithiau'n siŵr;
Ac weithiau'r wraig, os bydd yn gall,
A gymer arni fod yn ddall.

AWC

345

Cysga yn dy wely
A gorwedd yn dy wâl;
Y sawl sydd ar dy gyfer
Wyt ddigon siŵr o ga'l.

DT

Llanddewibrefi, Cered.

346

Cystal ceiniog a gynilir
 dwy geiniog a enillir.

Cyfaill yr Aelwyd i (1881), 424

347

Cystal coed yn yr allt a dorrwyd,
Cystal pysgod yn y môr a ddaliwyd.

DT

Aber-porth, Cered.

348

Dos i Rufain unwaith ac i Fynyw ddwywaith,
A'r un elw cryno a g[e]i yma ac yno.

Bye-gones (1877), 337

349

Dweud y gwir sy'n dda bob amser;
Dweud y gwir sy'n digio llawer.

SW: MRh 69

Benllech, Môn.

350

Cheir fawr o ras
O fewn y rhiniog
Lle cân yr iâr
Yn uwch na'r ceiliog.

DT

Llanddewibrefi, Cered.

351

Da yw dweud,
Gwell yw gwneud.

LIG 71, 11

352

Daw glaw ac a'i gwlych,
Daw haul ac a'i sych.

LIG 24, 24

353

Dianc o Wy
A boddi yng Nghonwy.

DT

354

Dos i gysgu gyda'r o'n,
Ti gei huno yn ddi-bo'n;
Cwnnu gyda'r hedydd bach,
Felly cei di fywyd iach.

LIG 76, 24

Morg.

355

Ganol Mawrth a chanol Medi,
Dydd a nos 'r un hyd â'i gily'.

AWC 3089

Cefneithin, Caerf.

356

Dwy frân ddu,
Lwc dda i mi.

LlG 71, 5

Ar lafar yn gyffredin. Ym Meir. ac Arfon weithiau yr ail linell yw
'Priodas yn y tŷ'. Yr un mor gyffredin yw 'Un frân ddu / Lwc ddrwg
i mi'. Neu weithiau 'O gwae i mi'. Rhigwm arall sy'n perthyn yn
agos yw 'Hen frân ddu / Gras Duw i mi', sef ymswyn wrth weld brân
yn croesi llwybr rhywun (*Ystên Sioned* (1894), 105). Yn Llandyrnog,
Dinb., adroddid y pennill:

Un frân ddu, anlwc i mi,
Dwy frân ddu, lwc i mi,
Tair brân ddu, cariad i mi,
Pedair brân ddu, priodas i mi.

AWC 3422/3

tra clywid yng Nghered.:

Un frân unig,
Siwrnai ffyrnig,
Ond dwy frân ddu –
Lwc i fi.

Cymru iii (1892), 43

Un enghraifft arall ychydig yn wahanol:

Tair brân ddu,
Lwc dda i mi.

LlGC 12735, 10

Meir.; Caern. Cf. hefyd 448 isod.

357

Dwy leuad ym mis Mai,
Dim cynhaeaf, dim cnau.

LlG 48, [24]

358

Er cadw'th dafod rhag gwneud cam
Gofala'n ddoeth o hyd
Am bwy siaradi, ac wrth bwy,
Y modd, y lle a'r pryd.

CM 593, 502

359

Dydd Sadwrn pwt,
Sul wrth ei gwt,
A phob hen slwt yn golchi.

Ar lafar yn Nhrefald. am wragedd a fyddai'n gadael y golch
hyd ddiwedd yr wythnos yn hytrach na'i wneud ar ddydd
Llun, sef y diwrnod golchi traddodiadol. Gw. 365 isod.

360

Dydd Sul Ynyd, dydd Sul hefyd,
Dydd Sul a ddaw, dydd Sul gerllaw,
Dydd Sul y Meibion, dydd Sul Gwrychon*,
Dydd Sul y Blodau, Pasg a'i ddyddiau.

LlG 48, 14

'Suliau y Deugain Nydd Garawys'.
*Pys wedi eu mwydo mewn dŵr neu win ac a fwyteid ar y
diwrnod hwn.

361

Dyn blewog, blin,
Dynes flewog, hawdd ei thrin.

LlG 21, 22

362

Esmwyth cwsg cawl erfin
Sydd ddihareb bur gyffredin;
Siôn ar ôl lladrata dafad
Trwy y nos ni chysgodd wincad.

AWC 2186/60

363

Gwallt du, gofidus,
Gwallt gwinau, dawnus,
Gwallt melyn, lleuog,
Gwallt coch, cynddeiriog.

Ystên Sioned (1894), 166

364

Fy amser i ganu yw Ebrill a Mai
A hanner Mehefin fe wyddoch pob rhai,
Gadawaf fy mhlant hefo'r adar sydd fân
A chyn Dygwyl Ifan* fe dderfydd fy nghân.

LlG 12, 4

Cyfnod canu'r gog. Clywir hefyd weithiau:

Wythnos gyfan
Cyn Gŵyl Ifan*
Y cwyd y gwcw
Ei chân gadw.

Ystên Sioned (1894), 101

*24 Mehefin

365

Golchi dydd Gwener,
Slwt i'r hanner;
Golchi dydd Sadwrn,
Slwt i'r asgwrn.

LlGC (DRP) 60, 81

Gw. hefyd 359 uchod

366

Gwaethaf cynnar, cynnar gog,
Gorau cynnar, cynnar og.

Ff a Th 10, 12

367

Gwagedd yn ddiau yw pob dyn, Jac,
Mae'i ogwydd i'r pridd a'r gro,
Mae'n torri *capers* am ennyd, ac
I lawr â fo.

Cymru xiii (1897), 271

'Dyn rhyw dro, wrth lwytho gwair a fu yn rhy ysmala, ac a
syrthiodd i lawr, ac a fu farw. Bardd tra athronyddol yn digwydd
bod yn y fan a'r lle ar y pryd, ac ar ôl sefyll yn fyfyrgar . . .
uwchben y marw, a drodd at ei gyfaill ac a ddywedodd' – yr uchod.

368

Gwaith yw gwitho,
Gwaeth yw pido.

Dwyrain Morg.

369

Gwanwyn llaith,
Cynhaeaf maith.

LlG 37, [24]

370

Gwêl a chêl a chlyw,
Cei lonydd yn dy fyw.

LlGC (Gwenith Gwyn) 236, 197
Dyffryn Ceiriog. 'Ffordd esmwyth o ddweud, "Meindied
pawb ei fusnes ei hun".'

371

Gwell asyn a'm dygo
Na cheffyl a'm taflo.

DLl 23

Brych.

372

Gwell ceiniog fach trwy ffordd ddigamwedd
Na'r chweugain aur trwy drais a ffoledd.

DLl 41

Brych.

373

Gwna bopeth yn ei amser,
Nid dilyn Rhys Bryn-lloi
Yn caead drws y stabal
Ar ôl i'r march i ffoi.

LlGC 1131, 49

374

Gwell cysgod brwynen wrth wifren ffens
Na mentro'r tywydd heb gomon sens.

AWC (Tâp 4480)

375

Gwell gwialen a blygo
Na'r hon a dorro.

DT

Llangynfelyn, Cered.; Blaencaron, Cered.

376

Gwell hir weddwdod
Na drwg briod.

DT

Blaencaron, Cered.

377

Gwell penlöyn bach mewn llaw
Na hwyaid yn yr awyr draw.

AWC 1793/465

Brych.

378

Gwna dy ewyllys
Yn ôl dy allu
Rhag bod yn g'wilyddus
Ar ôl dy gladdu.

LlGC (Gwenith Gwyn) 236, 181

Dyffryn Ceiriog.

379

Gwranda hyn, ystyria'n ddwys,
Os nad wyt gryf, bydd gyfrwys.

AWC 2186/3

Dyffryn Cletwr, Cered.

380

Gwŷr annuwiol dwng anudon
O ran budd neu ddial creulon,
Ond yn chwerw try y chware –
Duw a ddial arnynt hwythe.

CM

381

Haid o wenyn ym mis Mai os cair
Sydd yn werth wyth lwyth o wair;
Haid o wenyn yng Ngorffennaf –
Coden ffa fydd ei gwerth pennaf.

Bye-gones (1893), 4
'Coes rhedynen' fyddai gwerth haid Gorffennaf yn
Nolwyddelan (*Cymru* xxvi (1904), 114).

382

Hydref hir a glas,
Blwyddyn newydd oerllyd, gas.

LlG 10, 5

383

Gwern a helyg
Hyd Nadolig,
Bedw os cair
Hyd Gŵyl Fair,
Crin goed caeau
O hyn hyd G'lamai,
Briwydd y frân
O hynny mla'n.

Cymru lxvii (1924), 148
'Y coed mwyaf dewisol gan drigolion ein gwlad i'w llosgi yn yr hydref
oedd gwern a helyg. Ym mis Ionawr ar yr adeg oeraf o'r gaeaf llosgent
lawer o goed bedw, am eu bod yn gwneut tân gwresog a goleu. Ym
misoedd Mawrth ac Ebrill byddai llawer o goed crinion i'w cael, wedi
dod allan o berthi a blygid . . . Tuag adeg Calan Mai, rhoddai y ffermwr
ganiatâd i deulu tlawd a fyddai'n byw yn ei ymyl i ddod i gynnull y
briwydd a fyddai ar ôl, iddynt eu hunain.' Evan Jones, Llanwrtyd.

384

Hands is dwylo,
Gloves is menig,
Gentleman
Is gŵr bonheddig.

DT

Un o lawer o rigymau a ddefnyddid yn yr ysgolion cynradd gynt i gynorthwyo'r plant bach i ennill geirfa Saesneg. Dull arall oedd llafarganu:

How di call afon? *How di call* nant?
How di call ugain? *How di call* cant?
River is afon, *brook is* nant,
Twenty is ugain, *hundred is* cant.

385

Hawdd yw nabod dyn penchwiban
Heb ddim barn o eiddo'i hunan,
Yn was i bob rhyw awel wan
Ac i bob man yn trotian.

AWC 1789, 409

Brych.

386

Ionor a dery i lawr,
Chwefror ysbail cawr,
Mawrth a ladd,
Ebrill a fling,
Mai a gwyn y galon,
Mehefin llawen gorsing*,
Gorffennaf llawen buarth,
Awst llawen gŵr y tŷ,
Medi llawen adar,
Hydref llon cyfarwar*,
Tachwedd dechrau galar,
Rhagfyr, gocheler ei fâr.

LlGC 15796

*gorsing – post drws, ffrâm drws. ?Hapusrwydd ar riniogau drysau.
*cyfarwar – difyrrwch, diddanwch

387

Hen ysgol dda i ddysgu dynion
Yw hen ysgol ddrud trafferthion;
Y mae llawer ffôl ac anghall
Na ddysgant mewn un ysgol arall.

Cymru vi (1894), 52

Glanaman, Caerf.

388

I Riwabon ofer cario
Cerrig hogi, meini llifo,
Ond oferach ydyw beunydd
Gario glo i Gastell Newydd.

Cymru xvii (1899)

Nid y castell yn Emlyn ond yr un ar lannau afon Tyne

389

Heb gadw y ddime
Nid â byth yn geiniog;
Heb ddechrau cynilo
Ni ddeui'n gyfoethog.

AWC 2186/35

390

Hen geffyl cloff yw celwydd,
Ni fedra deithio'n hir
Cyn iddo daro'i wddw
Ar gadarn graig y gwir.

AWC

391

Hen widw pan brioda,
Cintachu fydd fynycha,
Ac ni fydd terfyn ar ei stŵr
Yn canmol ei gŵr cynta.

AWC 1793/409

392

I'r cwm y rhed y cerrig,
Felly arian i fonheddig.

DT

Atpar, Castellnewydd Emlyn, Cered.

393

Lle bo gŵr a gwraig yn hawddgar
Dyma baradwys ar y ddaear;
Lle bo priodas ddiflas aflan,
O bob oerder, dyma burdan.

LlGC 173, 10

394

Lle mae'r dŵr ddistawaf
Y bydd ddyfnaf.

Cymru lxxi (1926), 48

395

Llong ar fôr a stoc ar fynydd
Sy'n dibynnu ar y tywydd.

DLl 25

Brych.

396

Llygad glas yn gas,
Llygad brawn yn iawn,
Llygad grîn yn flin.

AWC 3422/4

Bangor

397

Mae gofid ar y rhai sy â phlant;
Mae'n dyblu ar y diblant.

DJE: HCS 126

Gogledd Cered.

398

Mae adeg dda i aredig
Ac adeg dda i hau,
Ac adeg dda i fedi
Yn talu am y ddau.
Mae adeg dda i siarad
Ac adeg peidio dweud;
Peth mawr yw dal yr adeg
A gwybod sut i wneud.

AWC 2186/6

Llanfachreth, Meir.

399

Mawrth yn lladd, Ebrill yn blingo,
Mai a ddywed a fydda i byw neu beidio.

LlG 55, [24]

Yng ngogledd Cered. clywir y fersiwn:
Mawrth a ladd, Ebrill yn llym,
Rhwng y ddau ni adewir dim.

EI: CC 122

400

Ma' 'whysu wrth hogi
Yn well na 'whysu wrth dorri.

HE/MD: FWI 106

'Mae'n talu i gadw min ar yr erfyn i arbed bôn braich'.
'Dihareb y pladurwr' y gelwid y cyngor hwn yn Llanfrothen,
Meir., a ffurf y rhigwm yno oedd:
Oni chwysir wrth hogi
Rhaid chwysu wrth dorri.

Cymru xlv (1913), [163]

Rhigwm arall sy'n pwysleisio pwysigrwydd hogi pladur yn
dda yw'r canlynol o ardal Trawsfynydd:
Hogi, hogi, hogi,
Hogi'n arw o gwmpas ei thrwyn;
Hogi, hogi er blinder, er serch,
Tebyg ofnadwy yw pladur i ferch.

Ff a Th 8, 13

401

Mae llawer o blantach yn caru
A llawer yn myned ynghyd
Heb feddwl dim fawr am y gofid
Na dim am hen droeon y byd.

DT

Aberaeron, Cered.; Dyffryn Cletwr, Cered.

402

Mae llygaid gan berthi
A chlustiau gan go'd;
Yng nghanol tir golau
Mae orau i ni fod.

DLl 34

Brych.

403

Mae rhywbeth yn eisiau
Ac eisiau o hyd;
Wedi cael y gwair
Mae eisiau cael yr ŷd.

Ff a Th 30, 40

Ardal Morfa Bychan, Porthmadog.

404

Mae wyth mil oriau hirion
O fewn blwyddyn drom y galon,
A saith gant a thrigain hefyd,
A chwech awr a phedair munud.

AWC 1793/409

Brych.

405

Milgi, genwair a gwn
Wna ŵr llawn yn ŵr llwm.

Cymru xlv (1913), [164]

Llanfrothen, Meir.

406

Y BEIBL

Mae'i lyfrau'n chwech a thrigain,
Gwir ddarlun byd a ddaw,
A rhif ei holl benodau
Mil cant wyth deg a naw.
Rhifedi yr adnodau
Sydd yn y Dwyfol Air –
Un fil ar ddeg ar hugain,
Un cant saith deg a thair.
Fe gynnwys o lythrennau
Os rhifir hwy yn iawn
Chwe mil a phedair ganwaith
Ac wyth o ddegau oll;
Os ceir e'n fyr o hynny
Mae rhai o'r rhain ar goll.

Y Cymro (1970) 14 Medi

407

Mae'r dydd yn ymestyn
Gam ceiliog Dydd Nadolig,
Awr gyfan hen Ddydd Calan,
Dwy awr hir Dygwyl Fair*,
Dros ben cyfri Dygwyl Ddewi.

LlGC (Gwenith Gwyn) 1283

Penf.

* 2 Chwefror

408

Os ar ddydd Sul y'th anwyd, bonheddwr da dy fyd,
Os ar ddydd Llun y'th anwyd ti fyddi deg o bryd,
Os ar ddydd Mawrth ti fyddi yn gyflawn iawn o ras,
Os Mercher fydd y diwrnod, ti fyddi'n sur a chas,
Os ar ddydd Iau y'th anwyd, ni weli wyneb ffawd,
Os ar ddydd Gwener byddi'n haelionus wrth dy frawd,
Os Sadwrn fydd y diwrnod ti fyddi farw'n dlawd.

Y Dydd (1978) 20 Rhagfyr

409

Malwoden ddu ar dir glas
Yn arwyddo blwyddyn fras.

Bye-gones (1893), 4

Yr oedd cred yng ngogledd Cymru fod blwyddyn lwyddiannus
yn wynebu'r sawl a welai'r falwen ddu gyntaf ar ôl Dydd Calan.

410

Mis cyn C'lanmai
Y cân y cogau;
Mis cyn hynny
Y tyf y briallu.

Bye-gones (1873), 163

411

Mis Ionawr a mis Chwefror
I roddi gwellt i'r ych,
A misoedd Mawrth ac Ebrill
I ddal y brithyll brych.
Mai, Mehefin hefyd,
Gorffennaf gydag Awst,
A Medi, Hydref, Tachwedd
A Rhagfyr cig ar drawst.

Y Darian (1914) 16 Ebrill

412

Na chais esmwythyd yn y byd,
Rhaid dwyn o hyd rhyw groesau;
Dioddef orfu'th dad a'th daid
A dioddef raid i tithau.

Y Brython (1858), 119

413

Na ddywed ddrwg am y flwyddyn
Nes dyfod at ei therfyn.

LlG 24, 24

414

Mynd i'r gwely'n gynnar, bois,
Codi'n fore wiw;
Dyna'r ffordd i sbarin pres,
Dyna'r ffordd i fyw.

AWC 2186/52

Llanfachreth, Meir.

415

Mynd yn daclus
I Ffair Dalis*,
'N ôl dibennu
Gosod barlys.

AWC 2186/11

*Ffair a gynhelid yn Nihewyd, Cered., ar 9 Mai

416

Nid doeth na ddarlleno,
Nid doeth a ddarlleno ond a ddeallo,
Nid doeth a ddeallo ond a gofio,
Nid doeth a gofio ond a wnelo.

DT

Cwmpadarn, Llanbadarn Fawr, Cered. Cf. pennill Ellis
Wynne yn ei gyfarchiad i'r darllenydd ar ddechrau
Gweledigaetheu y Bardd Cwsc, 1703:

A ddarlleno, ystyried,
A ystyrio, cofied,
A gofio, gwnaed,
A wnêl, parhaed.

417

Os taflu pent'wynion* yn gochion wna'r gŵr,
Y wraig hithau tafled ystenaid o ddŵr;
Os un fydd yn drystfawr a bloeddfawr ryw bryd,
Y llall ymdaweled gan fyned yn fud.

Cymru vi (1894), 160

*Rhywbeth tanllyd; marwor

418

Os gwyn fydd yr haul, os clir fydd y nen,
Os na fydd un cwmwl i'w weled uwchben,
O cofiwch mai Ebrill yw'n awr,
Rhybuddio'r ŷm ni cyn 'r elych o'r tŷ
Fod cawod bur wleb heb ofyn i neb
Yn fuan i ddisgyn i lawr.

AWC 273

Morg.

419

Nid oes dolur yng nghorff dyn
Na bo llysieuyn rhagddo,
Ond pan ddêl angau chwerw loes
Dim help nid oes, rhaid ildio.

CM 14

420

Ofer ydyw saethu seren,
Ofer golchi traed hwyaden,
Ofer ydyw, cofia'r ddameg,
Iro tor yr hwch â bloneg.
Ofer ceisio grawnwin deall
Ar fieri, drain ac ysgall,
Ofer disgwyl y fêl gawod
Yn ddefnynnau ar y wermod.
Ofer, ffôl yw'r dyn sy'n tybied
Ei fod heb fam yn medru cerdded;
Ni chariodd ci erioed ei gynffon
Wrth fodd pawb, mae'n hysbys ddigon.

DT

Cwmpadarn, Llanbadarn Fawr, Cered.

421

Os yn Chwefror y tyf y pawr,
Drwy'r flwyddyn wedyn ni thyf fawr.

LlG 3, 16

422

O's, o's
Yn Ffair-rhos,
Oes, oes
Ym Mhont-rhyd-y-groes.

Er nad oes fawr o bellter rhyngddynt

423

Os aiff y llif â'r pontydd,
A'r gwynt â phennau tai,
Ni fu erioed yn golled
Heb ennill peth i rai.

LlGC 1131, 52

424

Os am wybod eich hap a'ch hanes
Nacewch gymwynas i'ch cymdoges.

DT

Atpar, Castellnewydd Emlyn, Cered.

425

Os byth yr ei o Gymru gam
I deithio estron wledydd,
O paid anghofio iaith dy fam
'R un fath â Dic Siôn Dafydd.

AWC 1563

Penderyn, Morg.

426

Os wyt yn caru Duw ei hun,
Tor dy 'winedd ar ddydd Llun.

Os wyt yn caru'r Diawl yn glau,
Tor dy 'winedd ar ddydd Iau.

Bye-gones (1874), 131

427

Os cân y ceiliog cyn mynd i gysgu,
E gwyd y bore wedi gwlychu.

LlGC 12734, 68

Caern.

428

Os ei di i garu, câr lodes ddu lân,
Cei ddillad, cei ddodrefn, cei wely plu mân;
Os ei di i garu rhyw goegen rhy wen,
Cei wellt yn dy wely, cei blu yn dy ben.

CM 593, 505

429

Pryn gàn,
Ti a ei'n wan;
Pryn flawd,
Ti a ei'n dlawd;
Pryn fara,
Ti a ei i gardota.

DLl 19

Caern.

430

Os gweli awyr las gymaint â thin dy glos,
Tania'r peiriant was, cawn orffen erbyn nos.

AWC (Tâp 4480)

Geiriau cymeriad o'r enw Dafydd Ifans o Lansilin, Dinb., canlynwr
injan ddyrnu. Dywedai hwy pan oedd y tywydd dipyn yn
ansefydlog ac yntau'n methu penderfynu a oedd hi'n werth tanio'r
peiriant neu beidio. Ceir ambell rigwm arall sy'n cyfeirio at y
dyrnwr, fel hwn o ardal Nefyn:

Mae'r dyrnwr mawr yn dyrnu,
Yn rhuo 'fath â llew,
Yn llyncu teisi cyfan,
Peth od na fasa fo'n dew.

Ff a Th 5, 6

431

Os ffordd ni chaf,
Fy ffordd a wnaf.

DT

Llanrhystud, Cered.

432

Os lleddi fawn hen ddyddiau Awst
Rho nhw ar y trawst i sychu,
Neu ar y pentan tu hwnt i'r tân,
Gwnân yn y gwanwyn gynnu.

TMO: TM 34

Llanuwchllyn

433

Os y dylluan ddaw i'r fro
Lle byddo rhywun afiach,
Dod yno i ddweud y mae'n ddi-nad
Na chaiff adferiad mwyach.

LlG 71, 4

Môn

434

Os y dderwen ddeilia gynta',
Haf o sychder a ganlyna;
Os dail yr onnen gyntaf welir,
Mae haf gwlyb yn eithaf sicir.

CM 1263 (toriad papur)

435

Paid edrych trwy unrhyw wydr
Ar leuad newydd sbon;
Anlwc ddaw yn sicr
Cyn bydd yn leuad gron.

AWC 2186

Llandrillo, Meir.

436

Pa rif sy'n cysgu ar eu hyd
Fu'n cadw'r byd yn effro
Gyda'u ffrwst, eu trwst a'u tro?
Maent oll yn huno heno.

LlGC 19069, 99

437

Paid gostwng pen i ffrostgar Sais
Na phlygu glin i'w foddio,
Ond cofia am ei erchyll drais,
Bydd falch dy fod yn Gymro.

AWC 1563

Penderyn, Morg.

438

Paid mynd â'r peth i gyfraith,
Ti heli bethau'n wa'th,
Fe gei di'r cyrn a'r gynffon
Ond y twrne geiff y lla'th.

EH: DPG 30

Gogledd Cered.

439

Paid rhoddi'th fryd ar grwydro
Tra fyddo ynot chwyth,
Y garreg a ymdreigla
Ni chasgl fwsog byth.

DT

Llanwenog, Cered.

440

Pan flodeua'r ddraenen wen
Y mae'r tymor rhew ar ben.

LlG 21, 28

Cwm Tawe

441

Pam mae'n rhaid i 'nghariad ffromi
Er bod arall yn fy hoffi?
Er bod gwynt yn ysgwyd brigyn
Rhaid cael caib i godi gwreiddyn.

CM

Clywodd Prosser Rhys rigwm tebyg gan hen wraig 85
mlwydd oed yn Aberystwyth:

Lle bo cariad wedi gwreiddio
Anodd iawn ei dynnu odd'no;
Os yw'r gwynt yn siglo brigau
Rhaid cael caib i dynnu'r gwreiddiau.

Baner ac Amserau Cymru (1927) 20 Ion.

442

Pan fo'r ddafad yn mynd i hwrdd
Mae cymryd ffwrdd y dderwen,
A phan fo'r ddafad yn dod ag o'n
Mae mynd at fôn yr onnen.

Cymru lxvii (1924), 147

Sef yr adegau gorau i dorri coed arbennig

443

Pedwar peth duon
Sy'n blino plwyfolion;
Gwaddod a brain,
Ffeiradon a chwain.

AWC 1793/409

Brych.

444

Pan fo'r ymborth yn prinhau
Llawer gwell yw un na dau;
Pan fo'r gwaith yn fawr a blin
Llawer gwell yw dau nag un.

AWC

Cwm Gwaun, Penf.

445

Peswch sych
Diwedd pob nych.

Cymru lxx (1926), 114

446

Pan fo'r ddraenen wen yn wych,
Hau dy had os bydd yn sych;
Pan fo'r ddraenen ddu yn wych,
Hau dy had boed wlyb neu sych.

LlG 4, 4

447

Pedwar peth gynyddant ar wres;
Rhedyn, tatws, gwenyn a mes.

Cymru xlv (1913), [163]

Ceir fersiwn arall yn *Cymru* lxxi (1926) lle na chyfeirir at
datws, a lle ceir ychwanegiad yn ogystal:

Tri pheth a ffynnant ar wres –
Rhedyn* a gwenyn a mes;
Tri pheth a gynnydd ar law –
Gwlydd ac ysgall ac ysgaw.

*Weithiau ceir 'gwenith' yn lle 'rhedyn'.

448

Pan fyddo i bia* brithwyn
Groesi dy ffordd i'r blewyn,
Fe ellir dodi hynny i lawr
Fod aflwydd mawr yn canlyn.

TM

*pioden. 'Peth anlwcus iawn,' meddai Evan Isaac yn ei gyfrol
Coelion Cymru, 'ydyw i biogen groesi'r ffordd o'ch blaen – yr
unig ffordd i osgoi anffawd ydyw sefyll yn sydyn, gwneud croes
â'r droed, a phoeri, ac yna ddywedyd:

Piogen wen, piogen ddu,
Lwc i mi – ptw! (poeri).'

Cf. hefyd yr ofergoel am y frân yn 356 uchod.

449

Pan y gweli'r ddraenen wen
A gwallt ei phen yn gwynnu,
Mae hi'n gynnes wrth ei gwraidd,
Dos, hau dy haidd bryd hynny.

Cymru lxvii (1924), 146

450

Rhowch ddiod i landdyn a llety i gardotyn,
Anrhydedd i frenin a gwenyn i gwch,
Cyfrannwch o'ch cyfoeth, arweiniwch yr annoeth,
Eich gwisg i was tinoeth estynnwch.

AWC 1748/409

451

Tafl â'th unllaw,
Casgl â'th ddwylaw.

DT

Blaencaron, Cered.

452

Tri thrwch brwynen
I doi tas ŷd;
Rhaff gron, rhaff draws,
A rhaff bach ar ei hyd.

Ff a Th 7, 32

Caern. Sut i doi tas

453

Peth meddal yw meddwl
(Yn enwedig i benbwl).

Ar lafar yn gyffredin gan rywun yn esgusodi rhyw fwriad na lwyddwyd i'w sylweddoli. Ychwanegir yr ail linell, yn angharedig braidd, gan rywun arall sy'n dyst i'r esgusodiad.

454

Trideg o ddyddiau sy'n Ebrill yn rhodd,
Mehefin a Medi a Thachwedd 'r un modd.
Wyth a dau ddeg sydd yn Chwefror ei hun,
Ac yn y lleill oll mae tri deg ac un.
Ond yn y Naid Flwyddyn bob pryd y daw
Bydd dyddiau mis Chwefror yn ddau ddeg a naw.

DLl 53

Brych. Clywir hefyd fersiwn arall:

> Deg dydd ar hugain yw rhifedi
> Ebrill, Mehefin, Tachwedd a Medi.
> Mae i'r gweddill ddydd yn rhagor
> Ar wahân i fis bach Chwefror.
> Rhoi wyth ar hugain i hwnnw sydd raid,
> Ond naw ar hugain bob blwyddyn naid.

Y Tincer (2004) Chwefror
Cered.

455

Y sawl sy'n beio Deio, beied,
Y sawl sy'n byw'n ddi-fai ynganed,
Y sawl sy'n byw eu beiau beunydd
Gadawed 'rheini Deio'n llonydd.

Cymru lv (1918), 7

456

Y sawl sy â'i fys yn hwy na'i fawd
Ymogeled pawb rhag hwnnw.

Cymru xlv (1913), [163]

Llanfrothen, Meir. 'Y bys nesaf i fawd y droed feddylir, ond nid wyf yn gwybod paham y rhaid gochel yr un a'i medd.' Ioan Brothen. Ceir fersiwn hwy ar y rhigwm yn LlG 34, 2:

> Yr hwn sydd â'i fys yn hwy na'i fawd
> Gocheled pawb rhag hwnnw.
> Yr hwn sydd â'i fys 'r un hyd â'i fawd
> Fydd neb mewn blys am hwnnw.
> Yr hwn fydd â'i fys yn llai na'i fawd
> Bydd pawb mewn blys am hwnnw.

457

Tyn dy got cyn dechrau arni,
Dod hi amdanat cyn it oeri.

DLl 17

Brych.

458

Un peth yw addo,
Peth arall yw cywiro.

Cymru lxx (1926), 177

459

Yr iach a gach y bore,
Yr afiach yn yr hwyr;
Yr afiach fesul tipyn bach
A'r iach a gach yn llwyr.

LlG 21, 19

Ar lafar yn gyffredin er bod amrywiadau lleol megis:

Yr iach a gach y bore,
Yr afiach a gach yn yr hwyr;
Yr iach a gach hanner llond sach
A'r afiach hanner llond llwy.

Llanelli

Yr iach a gach y bore,
Yr afiach y prynhawn,
A'r sawl na gach o gwbwl
Yn wir sy'n afiach iawn.

Gogledd Cered.

460

Ysgubed pob un
Ei aelwyd ei hun
Cyn sôn am y gwall
Ar aelwyd y llall.

DT

Llangynfelyn, Cered.

461

Tywi, Tawe, Taf a Theifi,
Pedair afon fwya' Cymru.

DG 12

462

Y daran sy'n rhuo
Ond y fellten sy'n taro.

DLl 47

Brych.

463

Ym mhob pen mae piniwn;
Mewn ambell ben mae rheswm.

LlGC (Llên Gwerin Sir Gaerf.,1895), 559

Y TYWYDD

464

Ar yr ail o Orffennaf
Os glaw fydd yn disgyn
Bydd glaw am fis cyfan
Yn sicr o ddilyn.

LlG 4, 4

Ar y 15fed o'r mis y dethlid dydd gŵyl Swithin (neu Switan),
a hefyd dydd gŵyl Cewydd neu Hen Gewydd y Glaw fel y
gelwid ef gan y Cymry. Gw. 480 isod.

465

Crëyr glas ar fin afon,
Disgwyl y daw glaw yn union.

AWC (Tâp 4480)

Tregeiriog, Dinb.

466

Awyr goch y bora, aml gawoda';
Awyr goch prynhawn, tegwch a gawn.

EI: CC 121

467

Bore coch bryd bynnag ddaw
Ceir yn fynych wynt a glaw.

LGC 12735, 6

468

Bryniau Meirion sydd yn ymyl,
Cyn y bore fe ddaw glaw;
Cilia'r bryniau draw i'r gorwel
Ac yfory, tes a ddaw.

EI: CC 122

Gogledd Cered.

469

Bwa'r Drindod y bora, aml gawoda',
Bwa'r Drindod prynhawn, tegwch a gawn.

EI: CC 121

470

Cawod gyda'r trai,
Gwisg dy got a chadw hi'n gau.
Cawod gyda'r llanw,
Tyn dy got a dod hi gadw.

LlG 13, [24]

Aber afon Tywi

471

Ci yn pori porfa,
Ni bydd hindda.

LlG 37, [24]

Cross Inn, Cered.; Llangadog, Caerf.

472

Cricsyn yn canu,
Glaw yn dynesu.

LlG 37, [24]

Cered.

473

Chwefror teg
Yn difetha'r un ar ddeg.

LlG 7, 18

474

Fe neidia'r gath yn hoyw
Rhwng gwynt a thywydd garw,
Hi dry'i phen-ôl tuag at y gwres
Po nesa byddo i fwrw.

LlG 19, 2

Yn Llanfachreth, Meir., cofnodwyd y pennill hwn:

Os chwery'r gath ddu
Yn hurt gylch y tŷ,
Pwy giciodd ei thin?
Neb! Newid mae'r hin.

AWC 2465/1

475

Ebrill oer iawn, ysgubor lawn;
Gwyn ein byd os felly cawn.

Cymru xxvi (1904), 114

476

Drycin, drycin
Awn i'r eithin.

Cri'r gwylanod pan giliant i'r wlad wrth synhwyro fod
storm ar y ffordd. Ar ôl y storm eu cri yw:

Hindda, hindda,
Awn i'r morfa.

Bye-gones (1897), 269

477

Er cymaint y ddrycin,
Yn y diwedd daw sychin.

LlG 24, 24

478

Glaw, glaw, cer ffor' draw,
Gad i'r haul ddod 'n ôl ma's law.

DT

Llandysul, Cered. Ceir sawl fersiwn arall, e.e.:

Glaw, glaw, cer ffor' draw;
Haul y bryn, dere ffor' hyn.

DT

Llandysul, Cered.

Glaw, glaw, cer ffordd draw;
Hindda, hindda, dere ffordd yma.

DJE: HCS 123

Gogledd Ceredigion

Glaw, glaw, cer tua thre,
Gad i'r haul ddod i'w le.

LlGC (DRP) 60, 67-8

Morg.

479

Gwell yw gweled mam ar elor
Na chael hinon deg yn Ionor.

LlG 7, 18

480

Glaw ar Ŵyl San Swithin,
Ddeugain dydd i ddilyn.

LlG 4, 4

Gw. 464 uchod. Yn sir Gaerf. clywid y pennill yma:

Os bydd dŵr ar ruddiau Swiddin,
Deugain dydd o ddŵr fydd wedyn;
Os bydd gwên ar ruddiau Swiddin,
Deugain dydd o wres a ganlyn.

LlG 53 [24]

481

Glaw dydd Iau,
Glaw am dridiau.
Glaw dydd Gwener,
Glaw hyd hanner.
Glaw dydd Sadwrn,
Glaw hyd asgwrn.

LlGC 12734, 70

482

Glaw y Sulgwyn,
Ffrwythlon drwy'r flwyddyn.

LlG 53, [24]

Caerf.

483

Golau fôr a thywyll fynydd,
Tegwch gawn ni yn dragywydd.

Tywyll fôr a golau fynydd,
Drycin gawn ni yn dragywydd.

Cymru iii (1892), 231

484

Gwynt y dwyrain – eirïog,
Gwynt y gorllewin – cawodog,
Gwynt y gogledd – rhewllyd,
Gwynt y deau – glawog.

LlGC 10568 ii. 226

Meir.

485

Mae nacw fancw yn eira call;
Aros y mae tan ddaw y llall.

LlG 7, 18

Ardal Ffestiniog, Meir.

486

Gwanwyn blin i'r march a'r ych –
Mis Gorffennaf na fo sych.

Cymru xxvi (1904), 114

487

Gwynt i oen a haul i fochyn
A thywydd teg i blwms a rhetyn.

Y Brython (1925) 26 Mawrth
Morg. Cofnodir hefyd y cwpled:
Glaw sydd dda i gnau ac eirin
A thywydd sych i blwms a rhetyn.

488

Gwylan i'r tir,
Glaw cyn bo hir.

LlG 29, [24]

489

Gwynt o'r dwyrain,
Gelyn milain.

Cymru lxx (1926), 114

490

Gwylied pawb bob gwlad y boch:
Y lloer las y llawr a wlych,
Y lleuad wen sy'n oriau sych,
Llawer o wynt yw'r lleuad goch,
Lloer wen yw'r lleuad sych.

NR: CN 108

491

Mae'r niwl glas sy rhwng y bryniau
'N dangos na ddaw glaw am ddyddiau.

LlG 21, 28
Buellt

492

Gwynt oer i rewi,
Gwynt oerach i feirioli.

Cymru xlv (1913), [163]

493

Hanner Medi'n sych a wna
Seler lawn o gwrw da.

LlGC (Llên Gwerin Dyffryn Aman, 1906), 66

494

Haul gwyn, gwan,
Glaw yn y man.

LlG 10, 23

495

Haul y bore byth ni bydd
Yn parhau trwy gydol dydd.

LlG 21, 28

496

Hir heb law, o'r dwyrain y daw;
Hir heb hindda, o'r dwyrain daw gynta.

LlG 54, [24]

Ychydig yn wahanol yw'r pennill hwn:

Pan goller y glaw
O'r dwyrain y daw;
Pan goller yr hindda
O'r gogledd y daw gynta.

Cymru lxxi (1926), 47

497

Llawn cystal gan Ianto roi'r wraig yn y ddaear
Na bod Dygwyl Fair* yn hyfryd a chlaear.

LlG 7, 18

*2 Chwefror

498

Lle bo'r gwynt ar y dydd byrra'*,
Yno y bydd o am chwarter y gaea'.

LlG 55, [24]

*'Ar noson Calan Gaeaf' weithiau

499

Lleuad newydd ar ei chefn,
Ni ddaw glaw i wlychu'th gefn;
Lleuad isel ar ei phen,
Fe ddaw glaw yn hir o'r nen.

LlG 69, [24]

500

Llyffant melyn dan yr ŷd,
Braf yfory ar ei hyd.

Ff a Th 3, 30

501

Mai gwlybyrog, gantho cair
Llwyth ar dir o ŷd a gwair.

The Welsh Gazette (1924) 8 Mai

502

Mawrth oerllyd a gwyntog
Ac Ebrill cawodog
Ill dau a wnânt rhyngddynt
Fai teg a godidog.

LlG 8, 20

503

Niwl o'r mynydd,
Gwres ar gynnydd;
Daw niwl o'r môr
Â glaw yn stôr.

EI: CC 122

504

Mis Mai oer a wna'n ddi-nag
Sgubor lawn a mynwent wag.

The Welsh Gazette (1924) 8 Mai

505

Mis Mehefin, gwych os daw
Peth yn sych a pheth yn law.

LIG 55, [24]

506

Mwg yn syth, tywydd sych;
Mwg ar gam, glaw ym mhob man.

LIG 2, [24]

507

Mynydd yn glir a niwl yn y glyn,
Tywydd ffein a geir ar ôl hyn.

LIG 21, 28

508

Ni saif eira mis Ebrill
Fwy na dŵr ar gefen brithyll.

Y Brython (1925) 7 Mai

509

Niwl y gaea', arwydd eira;
Niwl y gwanwyn, gwaeth na gwenwyn.

EI: CC 121

510

Niwl yr haf, gwres;
Niwl y gwanwyn, gwynt;
Niwl y gaea', gwas yr eira.

NR: CP 108.

511

Niwl y gaea', gwas yr eira;
Tes yr haf, arwydd braf.

LlG 4, 16

512

Os cân y robin ar ben llwyn
Byddwn siŵr o dywydd mwyn;
Os cân y robin is i lawr
Byddwn siŵr o dywydd mawr.

LlG 46, 4

513

Os clywir defaid yn pesych,
Barrug tew gawn cyn yfory.

LlG 37, [24]

514

Os cynnar niwl ar Hafran
A tharth uwchben y doman,
Cynhaeaf gwair drwy'r dydd a fydd
Ar ddolydd Aberddawan.

TM

515

Os daw gwynt o flaen y glaw,
Cwyd dy galon, hindda ddaw;
Os daw glaw o flaen y gwynt,
Tywydd mawr sydd ar ei hynt.

LlG 21, 28

516

Os fel llew daw Mawrth i'n drysau,
Aiff i ffwrdd fel oen dan chwarae.

LlG 5, [24]

517

Os gorwedd gwartheg yn swrth-ddiog,
Hyn sydd goel am hin wlybyrog.

LlGC (Llên Gwerin Dyffryn Aman, 1907), 80

518

Os pyst dan yr haul,
Cawn law yn ddi-ffael.

LlG 37, [24]

519

ARWYDDION TYWYDD GWLYB

Tynhau mae drws y tŷ
A'r lloriau'n wlithog leithion,
A chwympa'r huddug du
I lawr o'r simne'n blygion.
Gwichian mae y moch
Gan bryfed yn eu pigo,
A'r gwyddau'n codi eu cloch
A'r hwyaid bron â ffraeo.
Y ci yn pori glaswellt
A'r gath yn wan ei llais,
Y gorden sychu dillad
Yn dynn ar ben y pyst,
A'r halen wedi lleithio
Pob tipyn yn y gist.
Y mynydd fel gerllaw
A'r cwmwl arno'n gorffwys
Yn profi fod y glaw
Yn gawod ar ymarllwys.

DT

Llandysul, Cered.

520

Pan gasglo defaid at y cloddiau,
Hin ystormus gawn yn ddiau.

LlGC (Llên Gwerin Dyffryn Aman, 1907), 80

521

Pan fo'r eithin felynaf
Ceir yr haf sychaf.

LlG 37, [24]

522

Tri llif yn yr afon
Yna daw hinon.

LlG 41, [24]

523

Un frân ar ei hadain tros feysydd
Yn gadael y goedwig a'i nyth
Broffwyda'n ddi-feth am y ddrycin,
Daw curlaw, a'r gwyntoedd a chwyth.

EI: CC 122

524

Y Chwefror ddaw â'r eira
Yw'r Chwefror ddaw â'r haf.

Y Drysorfa (1966), 37

525

Glaw, glaw, a glaw ers misoedd
A phobman sydd dan ddyfroedd;
Bydd rhaid wrth long ar fyr o dro
Neu nofio tua'r nefoedd.

TM

526

Pan glywer y môr yn crochlefain yn flin,
A'r cwmwl yn dew am ben castell Pen-llin*,
Os gwir yr hen ddihareb, mae cawod o law
Yn magu'n yr wybren, a'i syrthiad gerllaw.

ATD: CBM ii, 42

?Gwaith Iolo Morganwg
*Saif castell Pen-llin gerllaw'r Bont-faen, Morg.

527
ARWYDDION GLAW
Y ci yn bwyta glaswellt
A'i fol yn rhontio'r llawr,
Y wennol yn ehedeg
Yn agos iawn i'r llawr,
Y mochyn yn y buarth
A'i roch drwy'r dydd yn dal,
A'r llyffant du [dafadennog]
Yn crawcian yn y wal.

Y morgrug mân asgellog
I'w gweld yn britho'r llawr,
A niwl y llyn yn myned
I ben y mynydd mawr,
Y gath yn rhyw ymestyn
Ar bared pren gerllaw,
Pan weloch ditw*'n cripian
Yn fuan iawn daw'n law.

Y twrch yn codi priddwal –
Rhyw dyrau tewion mawr,
Y wenci yn dod allan
Ar doriad bore wawr,
Y defaid yn ymbrancio
A chwarae yma a thraw,
Wel dyna i chwi arwyddion
Fydd sicr iawn o law.

HMJ: BFM 75-76

*Cath
Trefald.

PROFIAD

528

Ar nosweth o'r a gerwin
Rwy'n lico bod mewn cegin,
Rwy'n lico gwrando stori ddwl,
Rwy'n lico pwl o werthin.

Rwyf yn y gader yma
Yn fishi er ys oria,
Ma'r cilog bach yn canu'n groch,
Mae'n un ar gloch y bora.

Y Cymro (1936) 21 Tach., 21
Cofnodwyd gan D.D. Herbert, Resolfen, Morg.

529

Cefais freuddwyd poenus neithiwr,
Daw rhyw anlwc i fy nghyflwr.
Cwyd dy galon – oni phrofwyd
Ym mhob oes mai croes yw breuddwyd?

DT
Cwmpadarn, Llanbadarn Fawr, Cered.

530

Daeth dydd y Calan Gaeaf,
Yn awr yn wir mi ganaf.
Yr oeddwn drwy y flwyddyn
Yn rhwym wrth alwad pobun,
Ond heddiw rwyf yn eithaf rhydd,
Caf dreulio'r dydd lle mynnwyf.

DT
Llanddewibrefi, Cered.

531

Ar ôl i mi briodi
A rhwymo fy llaw,
Helyntion y byd
A phlant bach a ddaw.
Bydd rheiny yn crio
Trwy'r nos a thrwy'r dydd;
Ffeind a braf yw
Cael rhodio'n rhydd.

AWC 3275/12

Ardal Cwm Penmachno. Amrywiad arno yw'r pennill hwn
o Aberaeron, Cered.:

Ar ôl i mi briodi a chlymu fy llaw,
Llawenydd a ddarfu a'r gofid a ddaw.
Ar ôl imi briodi a cha'l dau o blant bach,
Un yn y gadair a'r llall ar stôl fach,
Un yn gweiddi 'bara' a'r llall yn gweiddi 'caws',
O! Rhyfedd fath ofid a ddaeth ar fy nhraws.

DT

532

Codes yn y bore,
Edryches tua'r lan,
Fe weles grug o glotas
Yn sefyll yn y fan.
Edryches yno wedyn
A gweles yno fwg,
Fe gredes yn fy mywyd
'Mod i'n gweld yr Ysbryd Drwg.

DT

Llandysul

533

Dolennai'r afon delaid
Heb awydd mynd ymhell;
Cred hithau fel y deiliaid
Nad hawdd cael ardal well.

HMJ: BFM 75

534

C'langaeaf bach a ddelo,
C'langaeaf bach a ddaw
I mi gael mynd i gerdded
Ac arall wedyn ddaw.
Pwy bynnag fydd y forwyn,
Pwy bynnag fydd y gwas,
Caiff lawer iawn o fagneth*
A meistr eithaf cas.

DT

Llangeitho. Calan Gaeaf oedd yr adeg pan ddôi tymor morynion
a gweision ffermydd i ben a byddai ganddynt y dewis o ailgyflogi
yn yr un lle neu symud i le arall. Gw. 530 uchod.
*magnaeth – dwrdiad, grwgnach

535

'Cystal pysgod' a ddywedwyd,
'Yn y môr â'r rhai a ddaliwyd'.
Minnau'n rhwydo ar hyd y flwyddyn,
Methu'n lân â dal pysgodyn.

536

Da gennyf fod yn llawen,
Da gennyf fod yn fwyn,
Da gennyf, pan fo cawod,
Gael cysgod dan y llwyn,
Da gennyf gyfaill onest
Ar ben y mynydd pell,
Da gennyf air o gyngor
A'i gael ef gan fy ngwell.

Ystên Sioned (1894), 71

537

Fi geso bryd o ofan
Rhyw noson wrth fy hunan
Tra'n rhodio'n hwyr yng Nghraig Rhiw-lech,
Beth oedd ond sgrech dylluan.

TM

538

Dafad ag oen y bore,
Fe gampra beth prynhawn;
Rhaid magu plentyn flwyddyn
Cyn cerdded cam yn iawn.

DT
Llechryd, Cered.

539

Daw C'lanmai, daw C'lanmai,
Daw defaid ag ŵyn,
A'r meistr a'r feistres
I siarad yn fwyn,
A finnau fel arfer
Yn coelio'r un gair
O gofio y coegni
A gefais Ŵyl Fair*.

Ff a Th 19,14

*2 Chwef. Canol tymor i was neu forwyn fferm, cyn i'r meistr
a'r feistres dyneru ychydig er mwyn iddynt ystyried cyflogi eto y
tymor dilynol. Mewn fersiwn o Drawsfynydd gorffennid y
pennill fel hyn:

A minnau rwy'n coelio
Yn hela i'r co'
I'r gynnog laeth enwyn
Fod ganwaith dan glo.

Gw. 530 uchod.

540

Dywedai Jaci wrth fy ngharu
Gwnâi o felin, gwnâi o bandy,
Ond 'r ôl priodi, mawr ei rinwedd,
Prin gwnâi Jaci bric edafedd*.

Baner ac Amserau Cymru (1868), 11 Tach., 5
Hen bennill a ddyfynnwyd, meddir uchod, adeg etholiad
cyffredinol 1868 i ddannod ei addewidion blaenorol i un o'r
ymgeiswyr.
*pren hirsyth a ddefnyddid yn y diwydiant gwlân

541

Daw Gŵyl Fair a daw Gŵyl Ddewi,
Fe ddaw C'lame ar ôl hynny,
Fe ddaw C'langaea ond disgwyl wrtho,
Gwae fi'n brudd na fase heno.

DT

Aber-banc, Orllwyn Teifi, Cered. Gw. 530 uchod.

542

Digon sydd ddigon a gormod sydd flin,
Gan lawer mae cyfoeth nas medrant ei drin,
Ac os caf i ddigon mi ganaf yn iach,
Duw 'nghadwo rhag gormod, a dim yn rhy fach.

DT

Betws Bledrws, Cered.

543

Diolch i Dduw am dŷ a thân
A gwely glân i gysgu,
Yn lle bod ar y mynydd draw
Mewn gwynt a glaw yn sythu.

Plwyf Resolfen, Morg.

544

Gwaith tra difyr ydyw caru,
Toriad calon yw priodi,
Magu plant a byw mewn hiraeth,
Tra fwy byw, gofalu am rywbeth.

CM

545

Gwas'naethu yn y Caera
Fu'm rhan am rai blynydda,
Yn gwitho'n galad am fy mwyd
A hwnnw'n llwyd 'i wala.

TM

546

Diolch i Ti am bob trugaredde,
Diolch yn enwedig am geffyle,
Neu ni wŷr bach, mi gymraf lw,
A fyddai yn gorfod eu cario nhw,
Wŷr mawr, o hyd ar ein cefne.

Plwyf Resolfen, Morg.

547

Dwl, dwl, dwl,
Os doi di heibio'r Foty
Mi roddaf iti faidd,
Cwrw brag haidd a'm gyrrodd o'm co',
Deudwch-chi fynnoch-chi, cwrw ydi o.

Cymru lxvii (1924), 120

548

Dydd Llun, dydd Mawrth, dydd Mercher
Mi es i garu Gwen;
Dydd Llun, dydd Mawrth, dydd Mercher
Fe bisodd ar fy mhen.

LlG 28, 23

Môn

549

Gwyn ei byd yr oenig honno
Ar y llethri sy'n cael llithro
Nad yw'n gwybod am ymboeni
Cadw tŷ a thalu trethi.

Cwrs y Byd (1891), 130

550

Mae'r bore'n bur a'i orie'n aur,
Mae awr o'r bore bron fel tair.

LlG 23, 13

Cwm Cynllwyd, Meir.

551

Dyma le dymunol iawn,
Fe awn iddo fore a nawn;
Hen ac ieuanc, claf ac iach
Sydd raid dod i'r hen dŷ bach.

LlG 46, 17
Gwelwyd ar wal tŷ bach cyhoeddus yn ardal Henffordd.
Ar y gwaelod ychwanegwyd 'Pwllheli 1939'.

552

Hen wialen fedw gasaf
Sydd adra gan fy mam;
Yr oedd ei blas yn chwerw
Ar ôl im fwyta'r jam.

AWC 1955/11

553

Leuad wen, mae ar fy nghalon
Ganu iti rai penillion;
Llawer wyt ti yn deilyngu
Ond anfedrus wyf ar fydru.

Baner ac Amserau Cymru (1864) 10 Awst

554

Ffarwél i Gwmgerdinen,
Ffarwél i saint y Garn,
Ffarwél i hewl y Maerdy
A'i chlecs a phob consárn.
Rwy'n croesi afon Aman
I fyw mewn tŷ bach twt
Lle ni ddaw neb o'r diawled
I ddamsang ar fy nghwt.

AWC 2186/38
Un o benillion Glofa Pantyffynnon, Rhydaman, a gofnodwyd gan Amanwy
(D. R. Griffiths, 1882–1953). 'Lle braf i ddieithryn oedd Garn-swllt, ond
roedd rhaid i ddyn fyw yn weddol gymen neu fe ferwai'r crochan drosodd.
Methodd un gŵr â dygymod â ffordd pobl y Garn o fyw, a symudodd oddi
yno yn llawn sgorn. Rhaid oedd llunio pennill . . .'

555

Ffarwél i'r hen lofft stabal
A'r gwely trwmbal trol*,
Bûm yno lawer noson
Ar hanner lond fy mol.

Ff a Th 10, 5

Bro Hiraethog.
*'box bed'

556

Llawer gwaith bu mi a Mam
Yn meddwl am gynilo,
Dimeiau oll a chwechau lu
I brynu heffer gyflo,
Ond fy nhad, trwm ydyw sôn,
Yn wirion wnaeth eu gwario.

CM

557

Fflatio, slopio a slopian,
Golchion a throchion yr hen dwb crwn;
Sebon, soda, slapio a slopian,
Ymhell bo hanes y diwrnod hwn.

DJE: HCS 124

Gogledd Cered. Diwrnod golchi. Yn Nyffryn Cletwr, Cered.
cofnodwyd cwyn gwraig a fu uwchben y twba drwy'r dydd
ar ddiwrnod felly:

Gofidiau'r byd o cerwch ma's,
Y startsh a'r sebon a'r bliw glas;
Och y fi na bawn i gi,
Cael codi 'nghwt a bant â fi.

AWC 2186/18

Diau y byddai hi a llawer tebyg iddi yn cytuno â chynnwys y
triban hwn o sir Forg.:

Peth ffein ar fora golchi
Yw gweld y gwynt yn 'wythu,
Yr haul yn sheino dros y byd
A'r dillad i gyd yn sychu.

558

Hen goed tân yw'r gore i gynnu,
A hen grud yw'r gorau i fagu;
Hen stôl gadair sy esmwythaf,
A hen esgid wasga leiaf.
Hen gyfeillion rhowch i minne –
Nhw ddaw bellaf ar y siwrne.

LlGC 10551 (d.d.)

Llanwenog, Cered.

559

Mae gen i wraig a saith o blant
A maen nhw'n cachu sache;
Myn yffach base'n well 'da fi
Eu gweld yn cachu syllte.

AWC 3396/3

Llanbedr Pont Steffan, Cered.

560

Mae merched pert yng Nghoed-y-bryn,
Tŵr-gwyn a thre Rhydlewis,
Ond triciau Efa 'r hen fam-gu
Sy'n rhwystro i i'w dewis;
Mae'n well gen i fod yn hen lanc
Yn swanc fel Tomos Dafis.

Ioan Glyndŵr, Llwyndafydd
AWC 1852/15

561

Wedi dringo i ben yr Wyddfa
Drwy yr awel oer ei naws,
Dyma'r fan lle cefais dalu
Bedwar swllt am fara 'chaws.
    Byth ni ddeuaf
Yma eto i gael bwyd.

DT

Bronnant, Cered.

562

Mae llawer fel finne a 'chydig yn dechre
Yn dyfod o'r gore cyn diwedd eu hoes,
Rhai eraill o lawnder yn myned i brinder
Cyn darfod mo hanner eu heinioes.

CM

563

Mae swllt yr awr yn insylt i ddyn
Mewn mwd a baw hyd dwll 'i din.

AWC 3275/2

Ymateb un hen weithiwr o ardal Prion, Dinb., ar ôl diwrnod
o lafurio caled dan amgylchiadau pur anodd.

564

Mae yn Llundain fudd a llawnder
I'r sawl wnelo'r gorau o'i amser,
Nid oes yno mwy nag yma
Swm o olud i ŵr smala.

CM

565

Mae merched plwy Derwen yn llawen eu lle,
Cael brechdan cyn godro a thost gyda the,
A minnau'n y Foty yn baeddu mewn baw
Heb damaid na llymaid nes bydd wedi naw.

CM

566

Mae'n gas gen i feddwl am weithio,
Y bîb a'r tobaco yn well;
Os bydd siew neu ddifyrrwch yn rhywle,
Mae'n anodd gweld hynny yn bell.

DT

Llanwenog, Cered.

567

Mae'n gas gen i weithio,
Mae'n gas gen i gardota,
Rhag gneud dim
Mi af ati i ffereta.

LIG 17, 15

568

Maent yn dwedyd bod o'r Penrhyn
Bellter mawr i Rydaderyn,
Pan awn gynt i garu'r feindeg
Doedd i mi ond ergyd carreg.

CM

569

Maent yn dwedyd yma'n gas
'Mod i'n feichiog fawr o'r gwas
Pryd nad oedd na nerth na gallu
Yn y gwas i'm gwneud i felly.

CM

570

Mae'r glaw yn dyfod fel o grwc,
Mi rydw i'n y tŷ wrth ryw lwc.

AWC 2186/31
Llanfachreth, Meir.

571

Wyth awr o weithio
Wyth awr y dydd,
Wyth awr o gysgu,
Wyth swllt y dydd.

S ap O : GM 53

'Pennill am y "stem" wyth awr o waith a wneid gan fwynwyr
mewn mwynglawdd, chwarel a phwll glo'.

572

Melltith huw i forfa Malltraeth
Collwyd llawer yno ysywaeth,
A nos Sadwrn cyn y Drindod
Collodd meinir ei morwyndod.

CM

573

Mi debygais wrth fy magu
Cawswn wely o blu i gysgu;
Yn lle hynny, gwely o gerrig
Ar ben bwlch Eisteddfa Gurig.

574

Mi deflais i lwdwn i ganol y ca',
Ni wn ar y ddaear pwy lwybr yr â;
Felly rwyf innau 'r ôl colli fy ffrind –
Ni wn ar y ddaear pwy lwybr i fynd.

LlGC 10551 (d.d.)

Llanwenog, Cered.

575

Mi gerddais yn araf
O ris i ris
Ar hyd y flwyddyn
Am ddeuddeng mis.

DT

Aber-banc, Orllwyn Teifi, Cered.

576

Mi gofiaf hen bethau,
Wel gwnaf wrth y fil,
Ond chofia i'r un llwchyn
O bregeth dydd Sul.

AWC 2186/6

Llanfachreth, Meir.

577

Mis Awst, myn diawst,
Fuo mis erioed mor annhebyg i fis Awst;
Dyn yn arfer bod yn swel,
Ond rŵan rhaid cael yr ambarél.

Pentraeth, Môn.

578

Ni allaf rwystro i gas ddynion
Ddweud amdanaf beth a fynnon';
Ni allant hwythau trwy eu ffoledd
Rwystro Duw roi im drugaredd.

CM

579

O lymaid i lymaid
Fe dderfydd y cawl,
O bechod i bechod
Af i'n was bach i'r Diawl.

LlGC 1131, 53

580

Ofer yw er maint fo rhinwedd,
Gras a dawn a hir amynedd
Geisio byth, pan boetho'r dymer,
Ffrwyno tafod merch mewn dicter.

TDR: BLlF 49

581

Pum munud o gysur,
Naw mis o boen,
Wythnos yn y gwely
'R ôl geni'r oen.

LlG 19, 23

Niwbwrch, Môn

582

Os ewch i Lanmor Isa'
Mor ifanc ag 'r es i,
Cewch fara llaeth i frecwast
O waith 'r hen Fari ddu;
A llygaid mawr 'r hen Fari
Fel cocos ar y traeth
Yn edrych ar yr hogia
Yn llowcio bara llaeth.

AWC

Môn

583

Os na altrith yn fuan
A dŵad yn well,
Rhaid mynd i Awstralia
Neu rywle sy'n bell.

LlG 17, 15

584

Pan oeddwn yn ferch ifanc
Ac yn fy ffedog wen,
Yn gwisgo 'nghnotyn sidan
Yn uchel ar fy mhen,
Mi neidiwn gainc yn wisgi
A dal fy nghorff yn syth,
Meddyliais y pryd hynny –
Ddaw henaint ata i byth.

EE: HRh 22

585

Rhois fy llaw mewn cwlwm caled
Achos dwy neu dair o wartheg,
Da tae'r gwartheg wedi'u gwerthu,
Minnau'n ifanc heb briodi.

CM

586

Tipyn bach dros genol haf,
Ffein a braf yw bedwen,
Ond pan ddelo'r gaeaf dig
Mae'n well dan frig celynen.

LlGC (Llên Gwerin Sir Gaerf., 1895), 537

587

Un nos Sadwrn prynais bapur,
Disgwyl ganddo air o gysur;
Dim ond *sports* a gefais ganddo
A gwnes innau sbort ohono.

AWC 1141

Trefald.

588

Y mae dynad* yn beth po'th
Fan lle byddo'r cro'n yn no'th,
Er nad ŷnt ond llysie mân
Ma'nt yn llosgi fel y tân.

LlGC (Llên Gwerin Sir Gaerf., 1895), 537
*Dynad o 'danadl' – dail neu ddanadl poethion

589

Y peth difyrraf yn y byd
Yw bywyd clyd bob amser
Mewn bwthyn bach is llwyn o goed
Ar ochor troed y Gader.

CM

590

Yr oeddwn i neithiwr ym mhen y Bryn Moel
Yn hoelio dau gwpwrdd wrth nerth yr un hoel,
Yr hoelen oedd fychan a hwythau oedd fawr,
Fe ddaeth y ddau gwpwrdd yn gandryll i'r llawr.

CM

591

Yr wyf ers blwyddyn fel megis ar donnau
Neu ar fôr yn chwarae dan hwyliau ar fy hynt;
Pan êl un don heibio mae'r llall heb orffwyso
Yn dod i anhwylo fy helynt.

CM

592

Mae un peth gan wreigan briod
Sydd i'w gŵr yn boen a chwerwdod,
A gwir enw y peth hwnnw
Ydyw tafod llidiog, chwerw.

CM

593

Mae'r bore'n bur a'i orie'n aur,
Mae awr o'r bore bron fel tair.

LIG 23, 13

594

Mi brynais fuwch gyflo
Gan borthmon mewn ffair,
A thelais amdani
Heb rwgnach un gair.

Meddyliais gael caws ac ymenyn
A llefrith, y gorau'n y fro,
Ond trodd y fuwch gyflo'n fyswynog,
Ni chefais nac enllyn na llo.

LlGC 1131, 53

SERCH

595

Aeth Huwcyn yn benuchel
I garu ar nos Lun,
Ond daeth yn ôl yn sobrach
Os nad yn gallach dyn.
Ni chafodd ddrws agored
Na mynwes un merch wen;
Roedd pawb o'r merched mwynion
Yn chwerthin am ei ben.

LlGC 1131, 59

596

Af oddi yma i Ddolgellau
Os na chollaf ar y llwybrau;
Mae addewid im am gusan
Gan un fwyn – merch Tudur Fychan.

CM

597

Caru Siôn a charu Dafydd,
Cael y gair o garu Gruffydd,
Caru Tomos fwyn ac Ieuan,
Ni phriodaf neb ond Wiliam.

Wiliam fwyn a Wiliam weddol,
Wiliam sobr, sad, synhwyrol;
Pan fydd yr haul yn mynd dan gwmwl,
Dyma'r mab fydd yn fy meddwl.

LlG 33, 15

598

Af oddi yma i Ffestiniog
Heb na chrys na phais na ffedog,
Am gan milltir heb ddim bwyd
Er mwyn gweled Huwcyn Llwyd.

CM

599

Am Harri, am Harri mae 'nghalon ar dorri,
Am Sioni dwi'n synied am hwnnw;
I Tomos y rhoddes fy meddwl i gadw,
Am Siencyn rwy'n barod i farw.

AWC 1522, 3

Glanaman, Caerf.

600

Anodd mynd trwy'r môr heb foddi,
Anodd mynd trwy'r tân heb losgi,
Anodd dringo pren fo'n union,
Dau anoddach coelio'r meibion.

CM

601

Bachgen wyf a gafodd golled,
Cael fy ngwrthod gan y merched
Am fy mod y nos wrth garu
Yn rhy lonydd yn y gwely.

CM

602

Bûm yn rhodio yng ngolau lleuad
Gyda merch o blwy Llanrhaead,
Ond glynu wna fy serch fel draenog
[Wrth] fy nghariad yng Nghlocaenog.

AWC 3274/47

Llanelidan, Dinb.

603

Blewyn glas ar ddolau Rhymni
Dynnodd lawer buwch i foddi;
Merch fach lân a'm tynnodd innau
Lawer noswaith dros fy sgidiau.

LlG 29, 22

Cf. y pennill mwy adnabyddus:

Blewyn glas ar afon Dyfi
A hudodd lawer buwch i foddi;
Lodes wen a'm hudodd innau
O'r uniawn ffordd i'w cheimion lwybrau.

THP-W: HB 106

604

Braf yw croen yr afal pêr
A braf yw mêr y gwanwyn,
A braf yw'r blodau sy'n yr ardd,
A braf a hardd yw Catrin.

CM

605

Caru'r ydwyf i liw'r afal,
Nid oes dim a ddichon atal
I mi briodi'r annwyl Fenws
Tra bo'i thad yn codi tatws.

Bye-gones (1897), 242

Cered.

606

Mae arad hardd yn Nôl-y-moch,
A cheffyl coch ym Mlaena',
A choeden onnen yng Nghae'r-nant
Ac arni gant o geincia',
Ac ym Mawddwy, dweud y gwir,
Y mae y feinir fwyna'.

CM 117

607

Cyn byth y tynna 'ngeiriau'n ôl
Bydd Pencoed-fo'l yn symud,
Y lloer i'w gweled ganol dydd
A'r haul ni fydd yn machlud;
Bydd pentre bitw bach Tre-gro's
Draw, draw ar glos y Gernos,
A Phlas Troed-'raur ar glos Cwm-ul
A dau ddydd Sul mewn wythnos.

AWC 2186/3

Pennill a ysgrifennwyd ar ddrws ysgubor fferm yn
Nyffryn Cletwr, Cered.

608

Chwi y mab â'r galon helaeth
Sydd yn caru tair ar unwaith,
Deudwch im y gwir yr awron,
Sut mae cadw tair yn fodlon?

Caru un ar hyd fy mreichiau,
Caru'r ail â mwynion eiriau,
Caru'r drydedd yn fy nghalon,
Dyna gadw'r tair yn fodlon.

CM

609

Dacw lodes abal lân
Pe cawn roi cusan iddi,
Gwahodd hi yma i eiste peth,
Ni wn i a oes gyweth* ganddi.

Mi wn nad oes i'w mam a'i thad
Na buwch na dafad eto.
Ust! Ust! Taw sôn, bydd ddistaw ffrind,
Gad iddi fynd lle mynno.

LlGC 171, 13

*Cyfoeth

610

Chwilio'n hir a chwilio'n galed
Ym mhob cwmwd yn Uwchaled,
Chwilio a chael un fel yr angel
Draw ym mhentref Llanfihangel.

AWC 3274/48

Llanfwrog, Dinb.

611

Dacw dŷ a dacw ychan,
Dacw rai o'r teulu allan,
Dacw forwyn yn hel gwydda',
Gwyn fy myd na buasa hi yma.

CM

612

Dacw dderwen wych ganghennog,
Golwg arni sydd yn serchog,
Mi arhosaf dan ei chysgod
Nes daw 'nghariad i'm cyfarfod.

CM

613

Dafydd fwyn a Dafydd lon
A Dafydd dirion doriad,
Dafydd yw y mwyna'n fyw,
A Dafydd yw fy nghariad.

CM

614

Dau o'r un plwy,
Dau o'r un tŷ,
A dau o'r un gwely
Am ddim a wn i.

Swyddffynnon, Cered. Am was a morwyn o'r un fferm yn priodi.

615

Daw C'lame, daw clwmi,
Daw dail ar bob llwyn,
Daw C'lame, daw clwmi,
Daw defaid ag ŵyn,
Daw C'lame, daw clwmi,
Daw gwartheg â lloi,
Daw C'lame, daw clwmi,
Daw clwmi ni'n dou.

DT

Llandysul, Cered.

616

Deryn bach a'i blufyn shitan,
Ai di dros y môr i hedfan
I ddweud wrth Mari Miller
Am bido bod mor ffôl
I garu Lewsyn Morgan
A gatal Twm ar ôl?
Ma' Twm yn fachan gwirion
Os caiff e wara teg,
Mae wedi ca'l 'i ddewis
O betar merch ar ddeg.

MW: BIBC 57

617

Gwell gen i ar dwr o redyn
Garu merch o blwy Llanuwchllyn
Na phe cawn ar fanblu lawer
Garu merch o blwy Llangywer.

618

Gwen lon rywiog, Gwen liw'r ewyn,
Feinir dawel, gochel gychwyn
Gyda'r mab a gara gwrw,
Cei anhunedd gyda hwnnw.

CM

619

Dwmp di-dwmp y globen goch
A gwympodd lawr i dwlc y moch.
Gwaeddai, 'Dai, o dere glou,
Mae 'nghalon fach bron torri'n ddou.'
Medd Dai, 'Dim ots tae'n torri'n dri,
Wa'th nid y ti yw 'nghariad i.'

AWC

Llandysul, Cered.

620

Dyma ffolant, ffolant lon,
Dim ond dime rois am hon;
Os ceith hon fynd lan trw'r shime
Wfft i mi am roi y ddime.

DT

Glynarthen, Cered.

621

Dyma ffolant wyf yn anfon
Atoch chwi o fodd fy nghalon
Gan obeithio caiff dderbyniad
Gyda chwi, fy annwyl gariad.

DT

Llanddewibrefi

622

Mae 'nghariad i mi fentra
Yn un o'r meibion glana',
Glana' a fagodd gwraig erioed,
A gododd droed dros gamfa;
Mor union yw ei gefen
Â saeth o fola derwen,
Ac yn ei chered hi mor sgwâr
Â 'tae e'n fab i sgweiar.

DT

Llangeitho, Cered.

623

'Dda gan y wiwer ga'l collen a chnau,
'Dda gan y 'sgwarnog gael egin mis Mai,
'Dda gan wningen ga'l twll o flaen ci
Ond Sara fach annwyl sydd orau gen i.

DT

Betws Bledrws, Cered.

624

Er mynd i blith y diadellau
Ar hyd y mynydd, rhaid i minnau
Fynd i'r dyffryn i fugeilio,
Mae gennyf unig oenig yno.

LlGC 173, 13

625

Fy seren ddoeth siriol rhagorol yw Gwen,
Y hi sy'n disgleirio fel sêr sydd uwchben;
Ni cheir yn y triphlwy un debyg i hon,
Mor fanwl, mor fwynaidd, mor llariaidd, mor llon.

CM

626

Gan ferch hynaf Daniel Ifan
Yn y coed mi gefais gusan,
Ac un arall gan ferch siopwr,
Hon oedd well na phwys o siwgwr.

CM

627

Mae 'nghariad i yng ngolwg rhai
Fel blodau meillion ganol Mai;
Yn 'y ngholwg i nid yw ond sâl,
Dwi'n hidio'i golli'n fwy na'i ga'l.

DT

Aberaeron, Cered.

628

Gwyn fy myd a gwyn fy myd
Na bae'r nos yn fis o hyd
Pan y byddaf i yng nghwmni
Y ferch sydd wedi dwyn fy ffansi.

CM

629

Hed y folant – hed yn fuan,
Paid ag aros dim yn unman
Nes y bo ti wrth erchwyn gwely
Lle mae 'nghariad fach yn cysgu.

LlGC 10551 (d.d.)

Llanwenog, Cered. Gw. 648

630

Mae bechgyn yn ei charu,
Rwy'n nabod dau neu dri,
Ond be sy ar y ffwliaid
Yn caru 'nghariad i?

DT

Llangeitho, Cered.

631

Mae brân i frân a gwalch i walches,
A dylluan i'w chymares;
Mae i minnau lodes landeg
Yn fy aros pan ddaw'r adeg.

LlGC 1131, 58

632

Mae fy nghalon, gwen lliw'r ewyn
Wiwdeg ole, yn dy ga'lyn;
Gwyn ei fyd y sawl a wydde
Yn ca'lyn pwy mae'ch calon chwithe.

CM 801

633

Mae gen i gariad yn Ffestiniog
Ac un arall ym Maentwrog,
Ac un hefyd yn Nhrawsfynydd –
Onid ydwyf yn un dedwydd?

CM

634

Mae gennyf bedwar o gariada,
Af i'w gwerthu yn y Bala,
Un am ddim a'r llall am ddima
A'r ddau arall am geinioga.

AWC 1866

635

Mae gennyf gariad newydd
A'i henw Mari Ann,
And she can ride a donkey
As well as any man.

DT

Llechryd, Cered.

636

Mae gennyf gariad clws yn Nefyn
A gwallt ei ben fel tannau'r delyn,
A'i holl waith ar hyd y gaea'
Fydd lluchio tatws ar ôl y gwydda.

AWC 1866

637

Gwyn fy myd a gwae na fuasai
Gwasg fy mhais yn wydr golau
Gael i'r llanciau ifanc weled
Bod fy nghalon mewn caethiwed.

CM

638

Mae gwŷr ieuanc yn y Blaenau
Yn fawr eu sôn am blannu co'd
I ga'l cysgod ffein i garu
Dan blanhigion gore 'rio'd;
Helyg, bedw, gwern a derw,
Cyll a ffawydd, bocs a'r yw,
Ffein go'd *cherries* a gwsberis
A'r gelynen wyrddlas wiw.

DT

Llanwenog, Cered. Cf. y pennill a gofnodwyd gan
Gomer M. Roberts, 163 uchod.

639

Mae 'nghalon gan drymed â darn o blwm crwn
O gariad gŵr ieuanc, ni enwa'i mo hwn;
Er pan genais ffarwel i'r bachgen mwyn ffri
Mae pob bwyd a diod fel wermod i mi.

CM

640

Mae 'nghariad i eleni yn caru dau neu dri,
Mae'n credu yn ei chalon bod hi'n fy mlino i;
Mae i'w gweled gyda'r rheiny mewn marchnad
        ac mewn ffair,
Rwyf i mor rhydd â hithau i garu dwy neu dair.

CM

641

Maen nhw'n dweud, ni wn ai gwir,
Am wraig o sir Gaernarfon,
Gyda'r gwas yn yr odyn galch
Yn chwarae'n ddifalch ddigon.
Rhyfedd yw mewn ffasiwn le
Nad aethai pethau'n boethion.

CM

642

Mae hi heno'n rhewi'n rhywiog,
Lluchio lluwch yn uwch na'r rhiniog;
Fy nwy droed sydd braidd â rhewi,
Pa bryd yr â eich mam i gysgu?

CM

643

Maen nhw'n dwedyd arnaf ladrad
Gysgu noson gyda'm cariad;
Dyna gelwydd gellwch goelio –
Mi fûm ran o'r nos yn effro.

CM

644

Mae'n dda gen i datws, mae'n dda gen i laeth,
Mae'n dda gennyf fenyw â thafod go ffraeth,
A thipyn go-lew o wrid yn ei boch
A'i gwallt weithiau'n felyn ac weithiau'n goch, goch.

DT

Llangynfelyn, Cered.

645

Mae'n oer ac yn filen ar fwlch y Rhiwfelen,
Na bawn yn Llangollen yn llawen fy lle
Yng nghwmni mun weddol, un foddus, gain, fuddiol,
Ddewisol a gwrol ei geirie.

CM

646

Mari fach yn lodes lân,
Dwy foch goch a dannedd mân,
Trwyn pwt a llygaid llon –
Beth mae'r bechgyn yn dweud am hon?

AWC 2186/3

Llandysul, Cered.

647

Mae'n well i chwi o lawer
I dreio bildio plas
Draw ar y moroedd geirwon
Sydd rhwng y tonnau glas,
A chodi'r rheiny i fyny
I ryw fynyddau fry
Na threio oeri cariad
Rhwng Ifan bach a mi.

DT
Llan-non, Cered.

648

Mae'r folant* yma'n dangos
Shwd fachan wyt ti, Tomos;
Pwy all roi cusan fyth ar swch
Sy'n fwrfwch* fel yr andros,
Mi rown lapswchad* iti
Pe gwisgid shilcen* deidi
A britsh pen-glin, a gwasgod flot*
A chot fel Ianto Cati.

AWC 2186/92
Cered.
*Mae'r ffurfiau *ffolant* a *folant* yn digwydd
*bwrfwch – blewog, garw
*lapswchad – cusan hir a gwlyb
*shilcen, silcen – het silc
*flot – ?blot o *plod* 'plaid, tartan'

649

Mor hardd yw blodau'r ddraenen wen
Sy'n chwifio uwchben yr afon,
A gruddiau Gwen sy'n brydferth iawn
Yn llawn rhosynnau cochion.
Ond dyma'r drwg – o gylch y ddau
Mae pigau fwy na digon.

Cwrs y Byd (1891), 130

650

Meddwl bûm am osod mesen
Ar y mynydd rhyngw'i a meinwen,
Mi gawn honno'n goeden frigog
I'm cysgodi ar noswaith lawog.

CM 593, 503

651

Meddwl wyf o hyd amdanat,
Dyna pam anfonaf ffolant;
Cysga'n esmwyth, paid galaru,
Y mae Siân yn dal i'th garu.

JD: ABE 24

652

Melys cân y llinos,
Melysach cân yr eos,
Ond drysu'n llwyr a wnaf pan gân
Y ferch fach lân o'r Rhicos.

TM

653

Mi a fûm gynt yn caru Saesnes
Gwiw, ddoeth ragorol, ddoniol ddynes,
A phan y soniwn am briodi,
'O no,' meddai, 'I not marry,'
A dyna'r ateb a gawn ganddi.

CM

654

Ni chollais i gariad irio'd ond un;
Mi gaf gariad newydd yn Llanfair dydd Llun.
Os na cha' un yno mi af yn fy mla'n;
Mi gaf gariad arall yn Llandeilo'r-fân.

AWC 1793/409

Brych.

166

655

Mi a roddais aml roch
Am y mab â'r wasgod goch;
Am y wasgod nid wy'n prisio
Ond am y mab sydd yn ei gwisgo.

CM

656

Mi af i Lundain ac i Sbaen
Ac i'r Iwerddon rhag fy mlaen;
Deuaf adref trwy Lanufydd
Er mwyn gweled Lowri Dafydd.

CM

657

Mi euthum ryw noson at lety lliw'r hinon,
Ei geiriau oedd eirwon, anghyson ei gwaith,
Ffarwél iddi beunydd, er teced ei dwyrudd,
Ni fagaf o'i herwydd ddim hiraeth.

CM

658

Mi geso gariad newydd fflam
A het bob cam oedd ganddo,
Crys a ffrils a neisied wen
A gwallt ei ben yn cwrlo.

LlGC 1131, 51

659

Mor hawdd yw sôn am ado'r sir
A mynd i dir estronol,
Ond mil mwy anodd, annwyl ffrind,
Yw mynd yn wirioneddol
Pan fyddo ar dy ôl ryw ferch
Yn siarad serch yn siriol.

Cwrs y Byd (1891), 130

660

Myfi yw'r ferch sy'n caru mab
A'r mab yn caru cwrw;
Mae mam a 'nhad yn gas i fi
Am garu'r mochyn meddw.

LlG 29, 23

661

Mynych iawn y clywais ddwedyd
Fod dwy saeth i fwa Ciwpid;
Un o aur i fagu cariad
A'r llall o blwm i nychu'n wastad.

CM 169, 148

662

Pan fyddaf i'n priodi
Bydd Llundain yn Llanelli,
Mountain Ash yng Ngelli-ga'r
Ac Aberdâr yn 'Fenni.

Bydd Castell Newydd Emlyn
Yn ymyl Pwll y Dyffryn,
Abertawe yng Nghaerdydd
A Phontypridd yng Nghrymlyn.

TM

663

Never mind the weather
Ond ca'l dydd Sul yn deg
A 'nghariad wrth 'yn ochor,
Rwy'n prisio dim am neb.

Y Darian (1925) 5 Chwef.
Ym mhapur newydd *Y Brython* (26 Chwefror 1925) ceir y
fersiwn canlynol o'r un rhigwm, a'i briodoli i odre Cered.:

> *Never mind the weather*
> A'i chael yn ddydd Sul teg,
> A'r gwynt o Lanybydder,
> Dwi'n malio dim am neb.

664

Ni wŷr un dyn o Gymro
Pwy yw fy nghariad eto,
Ac ni wn i yn dda fy hun
A oes im un ai peidio.

665

Nid oes gennyf bunt i wario,
Annwyl Cati,
Dim ond calon alla'i sbario,
Cymer ati.
Aeth* ddaeth trwyddi i'r man pella
Fel y gweli,
Dim ond ti a all ei gwella,
Ti sy â'r eli.

AWC 2186/11

*Poen, tristwch

666

O mor gynnes yw fy nheimlad
Anfon folant i fy nghariad,
Mae dy foch fel ceiliog dandi
A dy swch fel shwgwr candi.

AWC 2705

Llandysul, Cered.; Bro Elfed

667

O Robin, clyw Robin, a gwrando'n ddi-gêl,
Mae Gwen wrth dy gofio yn wylo lle'r êl,
A mawr yw ei dwnad* amdanat bob dydd,
Y dŵr sydd yn afon yn rhedeg ei grudd.

Y cyfaill tosturiol, ŵr gweddol a gwych,
O dywed wrth Gwenno 'mod innau dan nych,
A dywed ti wrthi y deuaf heb fraw
Yn bur i'w chyfarfod ryw ddiwrnod a ddaw.

CM

*Siarad, dadwrdd

668

O Neli bach oleulon bêr,
Un dyner lawn daioni,
Eneth siriol, freiniol fryd,
Boed addas iechyd iddi;
Dywedaf i tra byddaf byw –
F'anwylyd yw fy Neli.

Er gweled llawer ym mhob man
O liwdeg lân lodesi,
A chael yn rhwydd gan rai i'm rhan
Lwys anian elusenni,
Er hyn ni welais dan y sêr
Un ail i'r dyner Neli.

CM

669

O'r biogen fraith ei haden,
Dere ata' i hela'r ychen
I mi gael mynd i ddala'r arad'
Gael gollwng Tomos at ei gariad.

LlGC (Llên Gwerin Dyffryn Aman, 1907), 116

670

Os ei di i dre'r Bala, o meddwl amdana',
Gwna annerch y lana' a'r fwyna' a fu,
A dwg fy anerchion rifedi gro'r afon
At forwyn o Feirion yfory.

CM

671

Os ei di i garu fe golli dy wallt,
Os ei di i garu fe wyli'r dŵr hallt
A chasglu gofalon i'r galon bob dydd –
Peth difyr yw caru, ac eto mae'n brudd.

CM

672

Os fy nghariad a'm gadawodd,
Druan bach, fe gamgymerodd;
Dyna oedd fy meddwl innau
'R ôl y ffair ei adael yntau.

AWC

Llandysul, Cered.

673

Pan es i garu gynta
Mi gefais groeso mawr,
Ces foled o gawl a thatws
A stôl i eistedd lawr.

Eilwaith mynd i garu wedyn,
Disgwyl caffael cawl a phwdin,
Beth a gefais gyntaf yno
Gan ei thad ond cael fy nhroedio.

Bye-gones (1897), 242

Caerf. a Chered.

674

Pan own i'n mynd i lawr i'r Mwmbwls
Cwrddyd wnawn â thair merch gwmws,
'Y nghariad i oedd yn y canol
Fel rhosyn coch mewn llwyn o dafol.

Cymru xxxii (1907), 300

Cân a genid yn sir Forg. wrth aredig

675

Rwy'n caru merch a'i mam yn fyw,
Gwyn fyd na fyddai farw
Im gael ystad sydd ar ei hôl
A phedair buwch a tharw.

Plwyf Resolfen, Morg.

676

Pan own yn lodes ifanc
Yr own yn lodes lân
A llygaid fel yr arian
A 'ngwallt i fel y frân.
Cofleidio'r bechgyn ifainc
A rhoi iddynt aml dro,
A chwerthin yn eu llygaid
A dweud, "Mi ddo', mi ddo'."

DT

Llan-non, Cered.

677

Prioti wnes eleni
Â merch o Ddolaucothi,
Ond cefas welad yn lled glau
Mai gwell fuasai hebddi.

TM

678

Rwy'n hala foland heddi
I ti, fy annwyl John,
Fel bo ti'n siŵr fod Mary
Am gael dy gwmni llon.
Mi af i ffair Henfeddau
A mynd ar gefn y mul;
Cei di fynd mla'n, a finnau
Yn dilyn ar y sgîl.

JD: ABE 23

679

Rhaid i lanciau Llanfairfechan
Osod llidiart yn y Penma'n
Rhag i lanciau Dwygyfylchi
Dramwy yno'r nos i garu.

CM

680

Torres i fy nghalon, torres,
Mae hi'n ddeuddarn yn fy mynwes,
Nid oes mab na merch yng Nghymru
Ond a'i torrodd all ei chlymu.

Cymru xvii (1899), 84

681

Tra bo cerrig ar Foel Bentyrch,
Tra bo dŵr yn afon Bryncrych,
Tra bo derwen ar barc Llysun
Mi gara i forwyn Maesllymystyn.

MHJ: BFM 75

682

Troi'r wythnos yn flwyddyn,
Troi'r flwyddyn yn dair,
Rwy'n ffaelu troi 'nghariad
I wilia'r un gair.

Troi'r ffynnon i'r afon,
Troi'r afon i'r tŷ,
Rwy'n ffaelu troi 'nghariad
'R un feddwl â fi.

Troi'r ceffyl i'r gwedda*,
Troi'r ychen i'r ddôl,
Rwy'n ffaelu troi 'nghariad
I orwadd yn 'y nghôl.

Y Darian (1925) 5 Chwef.

*Gweddau – tresi, harnais

683

Wel glân a chariadus yw morwyn Huw Siôn,
Ymhell ac yn agos amdani mae sôn,
Er clysed ei llygad a meined ei hael,
Ond edrych yn fanwl mae ei harddach i'w chael.

CM

684

Y fenyw fwyn, y fwyna' Fair,
A ddoi di i ffair y Bala?
Ac oni ddoi mi wn na ddaw
Na throed na llaw i minna.

CM

685

Y fi yw'r gŵr ifanc
Sy'n gweld wythnos yn hir,
Dydd Llun yw'r dydd cynta'
Ar doriad y dydd.
Dydd Mawrth fel dwy flynedd,
Dydd Mercher fel tair,
A finna a 'nghariad
Heb wilia'r un gair.
Dydd Iou yw'r pedwerydd,
Dydd Gwener y pump,
A finna, a'm helpo,
Heb wpod 'i hynt.
Dydd Satwn yw'r chweched,
Y seithfed y sydd;
Mi fynnaf 'i gwelad
Cyn darfod y dydd.

Y Darian (1931) 23 Ebrill

686

Yr hogan goch benfelen
Sy'n byw ym Mhen-y-graig,
Dymunwn yn fy nghalon
Gael honno imi'n wraig;
Hi fedr bobi a golchi
A thrin y tamaid bwyd
Ac ennill aml geiniog
O wlân y ddafad lwyd.

CM 593, 541.

687

Ym mreichiau f'anwylyd dymunwn i fod
O wyliau'r Nadolig hyd ganiad y gog,
Yn newid cusanau heb neb ond ni'n dau
Mewn heddwch diddiwedd a hedd yn parhau.

CM

688

Ymhell tu hwnt i Frechfa draw
Mae ar fy nghyfer ferch;
Mi wn fod rhai ffordd hyn yn well
Ond honno aeth â'm serch.
Mae rhai yn dweud ei bod yn hen
A gwallt ei phen yn wyn,
Heb fawr o ddannedd yn ei gên –
Ond ennill mawr yw hyn.

DT

Llanwenog, Cered.

689

Yn Nôl-prysg mae caru â blas
Rhwng Elin *Good News* a Dafydd y Gwas;
Elin yn cyffesu a Dafydd yn gwadu –
A glywsoch-chi 'rioed shwt garu â hynny?

DT

Llangeitho, Cered.

690

Ym Merthyr Mawr ma'n wedjan,
Ei glanach 'does yn unman,
Mi wn am lawer calon hael
Chwenychai 'chael yn wreigan.

TM

HWIANGERDDI
A CHERDDI DWLI

691

A B C and F and G
Saethu mwnci ma's o'r tŷ,
Lan i'r llofft i ganu'r gloch,
Cwympo lawr i stond y moch.

DT

Bronnant, Cered.

692

A glywsoch chwi sôn am Dani Sir Fôn
Yn bwyta a bwyta a bwyta?
Bu'n bwyta hwyaden
A bwyta myharen
A bwyta ceffylau y fro;
Ond pan ddaeth i fwyta y llestri a'r llwya'
Daeth poen bach i'w gylla. Do do.

AWC 1923

Tre-garth, Caern.

693

Adwaenwn hen wreigan
Oedd unwaith yn gre',
Ond collodd ei thraed
Gan gael cyrn yn eu lle.
Ar lan y môr drwy ryw wyrth arni wnaed
Fe gollodd ei chyrn a chafodd ei thraed.

AWC 3274/20

Llan-non, Cered.

694

A glywsoch chwi sôn am ddyn o sir Fôn
Ryw ddiwrnod yn neidio y Fenai?
Heb ferw na stŵr
Fe gliriodd y dŵr
Heb gymaint â gwlychu ei sanau.

AWC 1923

Tre-garth, Caern.

695

Aeth Ifan y sa'r
Ar gefen yr iâr
A'r iâr a galapodd
A Ifan a gwmpodd
A 'na ddiwedd
Ar reid Ifan sa'r.

AWC

Dre-fach, y Tymbl.

696

Afal mawr coch
Ar frig y pren
Syrthiodd i lawr
A brifo fy mhen.

AWC 2186/9

697

Caf innau ddillad newydd
O hyn hyd tua'r Pasg;
Mi daflaf 'rhain i'r potiwr –
Fydd hynny fawr o dasg.
Caf wedyn fynd i'r pentre
Fel sowldiwr bach yn smart,
A phrynaf wn a chledde
I ladd 'r hen Bonipart.

LlGC (Llên Gwerin Dyffryn Aman, 1904), 19

698

Alun Mabon yn ei ddydd
Yn gwisgo sbecs a throwser hir
A cho's ymbrela yn ei law
Yn mynd i'r ysgol erbyn naw.

AWC 1991/1

Llandysul, Cered.

699

'Amen' meddai'r ffon
A dwgyd deuswllt o siop John.

DT

Bwlch-llan, Cered.

700

Ar garlam, ar garlam
I ffair Abergele,
Ar ffrwst, ar ffrwst
I ffair Llanrwst,
Ar drot, ar drot
I ffair Llan-mot,
Ar duth, ar duth
I ffair y Ffrith,
O gam i gam
I dŷ Modryb Ann.

LlG 74, 16

701

Bili bwtwn gloyw
A Mari fer ei cho's
Yn gwitho gyta'i gilydd
Ac yn canu gyta'r nos.
Mae Mari'n dwedyd rhywbeth
A Bili'n dwedyd hyn:
'Beth a wnawn ni'r gaea'
Am fwyd i'r ceffyl gwyn?'

Y Darian (1925) 19 Chwefror

702

Amen
Cath bren
Taro'r person
Ar ei ben.

LlG 10, 19

Ceir amrywiadau lu ar y rhigwm hwn. Dyma rai:

Amen
Cath wen
Towlu'i thin
Dros ei phen.

LlG 6, 16

Amen
Coes bren
Towlu dy din
Dros dy ben.

Cered.

Amen
Dros ben
Taro'r hoelen
Ar ei phen.

LlG 9, 18

Amen
Dyn pren
Sticio mochyn
Yn ei ben.

LlG 12, 5

703

B'le buost ti ddo? Yn y pwll glo.
Beth gest ti yno? Bara haidd coliog.
A menyn gwyn blewog
A llaeth y fuwch wen
A'r bendro yn 'i phen
A llaeth y fuwch nepwan
A'r bendro'n 'i thalcan.

LlGC (Llên Gwerin Dyffryn Aman, 1907), 19

704

Bachgen bach (Geneth fach) pwy 'dech chi?
Bachgen bach (Geneth fach) cadach llestri.
Pwy lestri?
Llestri llaeth.
Pwy laeth?
Llaeth gwartheg.
Pwy wartheg?
Gwartheg duon.
Pwy dduon?
Duon mynydd.
Pwy fynydd?
Mynydd bach.
Pwy fach?
Bach gwair.
Pwy wair?
Gwair sych.
Pwy sych?
Sych dy din â sach dy daid
A phaid â dweud wrth dy nain.

LlG 72, 22

Penllyn, Meir.

Ceir fersiynau eraill gyda mân amrywiadau, megis y fersiwn
byrrach hwn o Geredigion:

B'le ti'n byw?
Bocs y sgiw.
Pa sgiw?
Sgiw bren.
Pa bren?
Pren sych.
Pa sych?
Sych dy din.

LlG 6, 16

Dyma amrywiad arall a nodwyd gan Hafina Clwyd:

Helô bach!
Bach be?
Bach giât.
Giât be?
Giât cae.

Cae be?
Cae gwair.
Gwair be?
Gwair sych.
Sych be?
Sych dy din yn sach dy daid,
a rhed deirgwaith rownd y das ha ha ha.

LlG 73, 5

Cofnodwyd hwn gan Cadrawd yn enghraifft o lên gwerin Morgannwg:

Mab pwy wyt ti? Mab Cwti.
Pwy Gwti? Clwtyn Llestri.
Pwy lestri? Llestri menyn.
Pwy fenyn? Menyn gwartheg.
Pwy wartheg? Gwartheg duon.
Pwy dduon? Duon rhawn.
Pwy rawn? Rhawn telyn.
Pwy delyn? Telyn Arthur.
Pwy Arthur? Arthur môr.
Pwy fôr? Môr sgadan.
Pwy sgadan? Ysgadan bwyta.
Pwy fwyta? Bwyta baw.
Pwy faw? Baw ci.
Pwy gi? Ci bach.
Pwy fach? Bach gwair.
Pwy wair? Gwair ton.
Pwy don? Ton sych.
Pwy sych? Sych dy din.

LlG 7, 4

A dyma fersiwn o ardal Malltraeth, Môn:

Hogyn (hogen) pwy wyt ti?
Hogyn (hogen) Tomos Llestar.
Pa lestar?
Llestar menyn.
Pa fenyn?
Menyn gwartheg.
Pa wartheg?
Gwartheg duon.
Pa duon?
Duon down.
Pa down?
Down delyn

181

Pa delyn?
Delyn môr
Pa fôr?
Môr pysgod.
Pa bysgod?
Pysgod afon.
Pa afon?
Afon Hendra.
Pa Hendra?
Hendra Gadog.
Pa Gadog?
Gadog Gwair.
Pa wair?
Gwair sych.
Pa sych?
Sych dy drwyn.

LlG 74, 13

705

Begi benddu o'r Felin-hen
Aeth i'r domen hyd at ei gên;
Ei thad a mam oedd yn rhy wan
I godi'r g'nawes fawr i'r lan.

CM 593, 506

706

Bili bach a finne
Mynd i siop y pentre,
Mofyn te a siwgwr brown
A phown o siwgwr lwmpe.

DT

Llechryd, Cered.

707

Cacen gri gron gre',
Nhad a mam yn yfed te;
Nhad ar gadair, mam ar stôl,
Dic ar y pentan a Robin ar ôl.

AWC 2186/14

708

Bi-si-bi, Bi-si-be,
Mochyn bach yn yfed te.

DT

Bronnant, Cered.

709

Biti biti garw
Hen wreigan wedi marw,
Claddu yn y winllan
A bawd ei throed hi allan.

AWC 3258/3

Waunfawr, Caern.

710

Broga bach aeth ma's i rodio
Ar gefn ei farch a'i gyfrwy gryno
I mofyn gwraig i drin ei ddodre'n –
Beth lygadodd ond llygoden.

DT

Llanwenog, Cered.

711

Calap ar galap a halen ar drot,
Yr hen deiliwr llibyn yn ffaelu neud cot.

LlGC (Llên Gwerin Sir Gaerf., 1895), 485

712

Dafi a Mari yn mynd am strôl
'N ôl ac ymla'n sha Felin-fo'l;
Trwser Mari'n llusgo'r llawr,
'O dîr annwl – be newn ni nawr?'
'Cer i'r cornel i gwnnu e lan.'
Dafi'n wherthin sbo fe'n wan.

AWC

Llanelli, Cefneithin, Caerf.

713

Cofiwch wraig Lot,
Hwylio whilber ar y trot,
Golau leuad fel y dydd,
Siencyn Dafydd yn ei hyd.

AWC

Cwm Rhondda
Dyma rai amrywiadau:

> Cofiwch wraig Lot
> Pishyn tair a phishyn grot
> Acha wilbar ar y trot.

MW: BIBC 57

> Cofiwch wraig Lot
> Yn eistedd ar y pot,
> Y pot yn torri
> A'r hen wraig yn boddi.

AWC 3275/16

Bro Hiraethog, Dinb. 'Lot yn boddi' meddai fersiwn arall o
sir Ddinb. (LlG 32, 7)

> Cofiwch wraig Lot
> Yn mynd ar ei throt
> Rownd y gwely
> I chwilio am y pot.

AWC

Glyn Ceiriog, Dinb.

> Cofiwch wraig Lot
> Yn piso mewn pot.

LlG 10, 19

Mewn rhai fersiynau, 'Hen wraig Lot' yw'r llinell gyntaf yma.

714

Donci mawr o Lunden
A donci bach y wlad
A donci John Tynewydd
Yn rhedeg nerth 'i dra'd.

AWC (Tâp 3887)

Dre-fach, y Tymbl, Caerf.

715

Da-cu, da-cu, dewch ma's o'r tŷ
I weld John Post ar gefen y ci.
Y ci'n galapo, John yn cwmpo;
Da-cu, da-cu, cewch 'n ôl i'r tŷ.

HE/MD: FWI 109-110

716

Defi ni a *Two Pound Ten*
A'th e lawr i ffair Allt-wen;
Da'th e'n ôl â chleddyf pren,
O, Defi ni.

DR: YWD 35

Cofnodwyd yr amrywiad hwn yng Nghwm-gors, Morg.:

Elin fach *worth two pound ten*
Aeth am dro i ffair Allt-wen;
Daeth yn ôl â cheffyl pren,
O, Elin, o.

AWC 2186/72

717

Ding dong bel Saeson
Bu farw'r hen berson.
Paham bu e farw?
Eisie ca'l cwrw.
Pam peidsoch chi ddwedyd?
Mi safswn ei fywyd.

Cwrs y Byd (1894), 200

718

Yw, yw,
Dŵr a bliw.

LlGC (DRP) 60, 66-67
Cân merch o Ystradfellte wrth fagu plant ei meistres

185

719

Dei Lwli Fawr sy'n fachgen ffri
Yn rhwymo'i wallt â chynffon ci;
Hen fag papur am ei ben –
Felly bydd am byth. Amen.

720

Do fe brynais gyllell ddima
I dorri ffenest yn yr Wyddfa
I gael gweled Blaenau Ffestiniog
Lle mae merched saith am geiniog.

AWC

721

Dwi isio pi-pi,
Meddai gwraig MP.
Gwna yn dy het,
Meddai gwraig Coparét.
Peidiwch bod mor ffôl,
Meddai gwraig *Cloth Hall*.

AWC 2186/5

Ardal Bethesda, Caern.

722

Dwy ferch ifanc
Yn mynd i Birkenhead,
Un yn gwisgo bonet
A'r llall yn gwisgo het.

Môn

723

Fe gadd Siani gan ei nain
Own o sidan a chrys main;
Fe gadd Mari gan ei nain
Chwipio'i thin â gwialen ddrain.

AWC 2186/9

724

Dwy iâr fach yng nghefn y tŷ,
Un yn wyn a'r llall yn ddu;
Ond er hynny dyna syn,
Y mae wyau'r ddwy yn wyn.

AWC 1923

Llanllechid, Caern.

725

'E drigai hen ddynes a'i henw'n ddim byd
Mewn bwthyn bach bychan hynod o glyd;
Agorodd ei cheg yn syndod o fawr
A llithrodd y bwthyn bach bychan i lawr.

AWC 3274/22

Cricieth

726

Engine bwff, *carriage* gwyn,
Menyw fach ar ben y bryn.
Bo Bo Bwci Bo
Hela Mam i ddwgyd glo.

DT

Atpar, Castellnewydd Emlyn, Cered.

727

Fe gafodd Dafydd gan ei dad
Faco du a chetyn rhad,
Ond fe gafodd gan ei fam
Fara brith a brechdan jam.

AWC 2186/9

728

Fechgyn Cymru, dewch ar frys
I helpu Mari i olchi'i chrys;
Bydd rhaid cael sebon, startsh a bliw
Cyn daw crys Mari 'n ôl i'w liw.

AWC 2186/43

729

Etho'i lan i dre Llangadog,
Weles fuwch yn cwrso draenog;
Dwedes wrthi beidio gwylltu
Am roi halen ar 'i chwt hi.
Etho'i lawr i blwy Llanddarog,
Weles ferch yn godro draenog;
Wedes wrthi pan fo'n corddi
Prynwn bown o fenyn ganddi.

AWC 3039
Cefneithin, Caerf.

730

Gola leuad fel y dydd,
Shencyn Dafydd yn 'i 'yd,
Claddu'i blant yn Cwm-y-nant,
Saith ugain a saith gant.

MW: BIBC 58

731

Gyrru, gyrru drot i'r ffair
Mofyn cacen dwy neu dair.
Gyrru, gyrru 'n ôl tuag adre
Wedi gwerthu'r ffowls a'r wye.

LIG 74, 16

732

Haleliwia
Dyn pob lliwia'
Mynd fel fflamia'
Dros bont Crawia,
Haleliwia.

LIG 12, 5
Caern. Clywir hefyd:
        Haleliwia, dyn pob lliwia',
        Byta *sawdust*, cachu plancia'.

LIG 20, 9

733

Gyrru, gyrru i Ffair-rhos
Mynd cyn dydd a 'n ôl cyn nos.
Gyrru, gyrru lan i Gaer
I gael gweled sut mae'r maer.
Gyrru, gyrru'n ôl ar ffrwst
I gael swper yn Llanrwst.

AWC 2186/11

Cered.

734

Gyrru, gyrru, gyrru
Ar gefen ceffyl gwan,
Mofyn hade shibwns
I Mari nymbar wan.

Gyrru, gyrru, gyrru
Ar gefen ceffyl du,
Mofyn hade shibwns
I Mari nymbar thri.

LlG 26, 16

Tre-lech, Caerf.

735

Gyrru, gyrru, gyrru i Gaer
I briodas merch y maer.
Hei gyrru adra, hei gyrru adra,
Plisman wrth ein sodla, plisman wrth ein sodla.

LlG 47, 11

Llŷn

736

Hen dŷ a hen do,
Hen ddrws heb ddim clo,
Hen wraig a wyneb budur,
Hen ffenest heb ddim gwydyr.

AWC 3275/2

737

Hai'r ceffyl bach i ffair y Bontfa'n,
  Cam, cam, cam.
Hai'r ceffyl bach i ffair Pontypridd,
  Trot, trot, trot.
Hai'r ceffyl bach i ffair Pontardawe,
  Galop, galop, galop.

LlG 26, 16

738

Hawdi dw a hawdi dan,
Shwt y'ch chi a'ch tad a'ch mam?
Ma' 'nhad a mam yn weddol iawn,
Fi sydd waethaf lawer iawn.

AWC 3396/3
Llanbedr Pont Steffan, Cered.

739

Hei gel bach, si-ho, si-ho,
Werthoch chi'r sgadan? Do, do, do.
Beth oedd eu pris hwy?
Pump am ddwy.
Hei gel bach, a bant â nhwy.

LlG 81, 16

740

Hen wraig o Langristiolus
Aeth i ganlyn stalwyn mul;
Cychwynnodd yn bur fore
Ar draws gwlad o Gaerdydd.
Y mul oedd yn un castiog –
Fe wyddoch hynny'n siŵr,
A thaflodd yr hen wreigan
I ganol rhyw bwll dŵr.

AWC
Caern.

190

741

Hen fenyw fach y co'd
Yn cwyno'n anghyffredin,
Wedi llosgi thro'd
Mewn padell fawr o bwdin.

AWC 2186/17

Llandybïe

742

Hen Charles o'r Bala,
Hen fachgen smala,
Golau cannwyll gyda'r nos,
Pigo chwain o din ei glos.

AWC 3275/8

Llanefydd, Dinb.

743

Hen wraig fach o ymyl Rhuthun
Aeth i'r afon i olchi'i phwdin.
Tra bu'n siarad â'i chymdogion
Aeth y pwdin gyda'r afon;
Hen wraig fach yn torri'i chalon.

CM

Rhigwm y ceir gwahanol fersiynau mwy cyfarwydd
ohono, a phethau eraill megis sebon, dillad ac ati yn
mynd gyda'r afon.

744

Mam-gu, mam-gu, dewch ma's o'r tŷ,
Mae Siôn a Siân ar gefen y ci.

Cymru xlii (1912), [64]

Ceir fersiynau eraill a gwahanol farchogion ar gefn y ci,
megis 'John Jones', 'Siôn Bwff', 'Da-cu' (gw. 715 uchod) ac
eraill. Yng ngogledd Cered. clywid:

Mam-gu, mam-gu, dewch allan o'r tŷ,
Mae corn y fuwch goch yn nhin y fuwch ddu.

745

Hen wraig fach yn byw mewn tent,
Magu chwain i dalu'r rhent.

AWC 3275/2

Bro Hiraethog, Dinb.

746

Hisht! Hisht!
Ma'r gath yn y gist
A'i phen hi miwn
Yn canu tiwn
A'i chwt hi ma's
Yn canu bas.

DT

Aber-banc, Orllwyn Teifi, Cered. Mewn fersiwn arall o
Landysul, Cered. ceir trydedd linell na welir mohoni yma sef:

No, no, mae'r gist ynghlo.

Yng Nghered. hefyd y clywyd y rhigwm canlynol:

Ust! Mae'r gath yn y gist.
Bydded yn ofalus,
Mae'r hwch yn y barlys.

Ff a Th 7, 14

747

Huwcyn Dafydd Gwernyfelin
Aeth i garu i Dyddyn Gwilym;
Fe wnaeth yno waith i seiri –
Torrodd waelod gwely Cadi.

CM

748

Ianto bach a minnau
Yn mynd i Mountain Ash;
Ianto'n gwerthu mochyn
A finne'n derbyn cash.

AWC 1939

Y Tymbl, Caerf.

749

'Hyro!' ebra fi.
'Pwy sy 'na?' 'bra fo.
'Y fi,' 'bra fi.
'Y chi?' 'bra fo.,
'Ia,' 'bra fi.
'Ho! Ho!' 'bra fo.

Cymru xviii (1900), 42

750

Jim y Go a'i gaseg
Yn dysgu siarad Saesneg;
Cic yn ôl a chic ymlaen
A chic yn nhin y gaseg.

LlG 26, 16

751

John bach a minna
Mynd lan i Bwll-y-glaw*;
John yn wpo whilbar
A Nel yn cario rhaw.

AWC

Cwmafan, Morg. Ffurf y rhigwm yn Resolfen, Morg., oedd:

Fi a Sioni Walter
Yn mynd i Bwll-y-glaw*;
Fi yn dwgyd whilber
A Sioni'n dwgyd rhaw.

*Ger Pont-rhyd-y-fen.

752

Ladi Wen ar ben y pren
Yn naddu co's ymbrelo;
Mae'n un o'r gloch
Mae'n ddou o'r gloch,
Mae'n bryd i'r moch ga'l cino.

LlG 76, 14

Ardal Pen-tyrch, Morg. Swyn i gadw'r Ladi Wen draw

753

John Jones *rags and bones*,
Dala whannen ar 'i ddrôns.

AWC

Swyddffynnon, Cered. Gweiddid gan blant ar ôl ffermwr a
wrthodai roi reid iddynt yn ei gert neu ar gefn ei geffyl.

754

John Rhys
Cawl pys
Mynd i'r gwely
Yn ei grys.

Ar lafar, Cered.

755

John 'y mrawd,
Lisi'n chwa'r,
Digon o bwdin
A digon yn sbâr.

DT

Bronnant, Cered.

756

Mae mam wedi mynd i'r ffair
I brynu buwch i bori gwair,
I roi menyn yn y stwca
I dalu'r rhent i Siôn Tŷ Pwca.

LlG 29, 23

757

Mae'n bwrw glaw allan,
Mae'n sych yn y tŷ,
Un gwlyb yw y glaw
Er cyn cof gennyf i.

AWC 2186/11

Cered.

758

Lle mae'i sgidie?
Pwy sgidie?
Sgidie John.
Pwy John?
John babi.
Pwy fabi?
Babi'i fam.
Pwy fam?
'I fam e.
Pwy e?
E'i hunan.

EE: HRh 21

759

Joni Lloyd yn y coed
Yn chwilio esgid am ei droed.
Rhedeg adre nerth ei fagle,
Helpu'i fam i wneud poncage*.

AWC 2186/66

Tregaron, Cered.
*Crempog, ffroes

760

Llifio, llifio, ceiniog y dydd,
Gneud hen goffin i Wil y Crydd.
Wil y Crydd yn pallu marw;
Gwneud hen goffin i'r hen darw.

LlGC (Llên Gwerin Sir Gaerf., 1895), 490

761

Ma' gen i gant o ddefid
Yn pori ar y bryn,
A minnau'n ŵr bonheddig
Ar gefan 'y ngheffyl gwyn.

MW: BIBC 58

762

Mae'r wraig yn gwisgo sidan
A'r gŵr a'i aur yn ffri,
A'r ferch ar gefn ei beisicyl
A'r beili yn y tŷ.

DT

Bronnant, Cered.

763

Marged Ann a finne
Yn mynd i Benrhiw-pâl;
Marged Ann yn hala whilber
A finne'n cario pâl.

DT

Llanwenog, Cered.

764

Mari fach hoff ferch ei mam
Gaiff y gwin a'r bara can;
Joni bach hoff fab ei dad
Gaiff y wialen fedw'n rhad.

LlGC 10551 (d.d.)

Llanwenog, Cered.

765

Mary Jên, mynd fel trên,
Rhech yn y botel, *well done* Jên.

AWC 3258

Gellifor, Dinb. Arferai bechgyn yr ardal weiddi'r rhigwm ar
ôl unrhyw ferch â Jên yn ei henw.

766

O diar diar, doctor,
Mae pigyn yn fy ochor;
Gwell gen i daro pwmp o rech
Na thalu chwech i'r doctor.

LlG 20, 8

767

Moses ac Aaron
A gwympodd i'r afon;
Philip a Siani
A'u cododd i fyny.

DT

Llanfihangel-y-Creuddyn, Cered. Wele rai amrywiadau:

Moses ac Aaron
Yn neidio dros afon;
Pedr a Paul
A drodd yn eu hôl.

LlG 10, 11

Trefald.

Moses ac Aaron
Yn rhedeg drwy'r afon,
A Phedr a Paul
Yn rhedeg ar eu hôl.

LlG 32, 7

Dinb.

Moses ac Aaron
Yn neidio yr afon,
Un i Gae-rhos*
A'r llall i Glan'rafon*.

LlG 47, 11

*Tai o boptu afon fechan yn Llŷn

768

Plisman bach Pwllheli
Yn sbio'n ddigon slei,
Mynd i bob tŷ tafarn
I chwilio am hannar peint.
Hannar peint o gwrw
A hannar peint o win,
A photel jinjar biar
A chic o dan ei din.

AWC

Bodedern, Môn

769

Mi godaf dŷ o gerrig
Yn cyrraedd hyd y nen;
Y wal i gyd o garreg
A'r co'd i gyd o bren.

AWC 3089

Cefneithin, Caerf.

770

O dere Siaco, mae'n amser cinio,
Pa fwydydd fynni di?
'Wel pownd o fenyn a phen sgadenyn,
A phishyn o gwt y ci.'

Plwyf Resolfen, Morg.

771

O Siôn, o Siôn, a gymrwch chi Siân?
Cymra'n union, dewch â hi mla'n,
A rhowch y cyfrwy ar gefen yr hwrdd
I Siôn a Siân ga'l mynd i ffwrdd.

DT

Llanwenog, Cered.

772

O'n i'n trampan lan tsha Hirwa'n,
Gwelas ddyn yn llyncu derwan,
Gwetas wrtho am bido tacu,
Fod yr afon wedi sychu.

Y Darian (1925) 16 Ebrill

773

Pa sawl pwys o fwg sydd mewn tas o fawn?
Gwna glorian o'r gwynt, a rhaff o'r gwawn
A thyrd ataf y prynhawn, cei wybod.

LlGC 2631, 113

774

Pe bawn i'n ffesant ddesant
Mi rhown fy hun yn bresant
I'r tlodion gael gwledd
Nadolig mewn hedd,
O diolch nad ydw i'n ffesant.

AWC

775

Pwy sydd wedi marw? Siôn Ben Tarw.
Pwy sy'n fyw? John Pen-rhiw.
Pwy dorrodd y bedd? Y ba'dd â'i ddannedd.
Pwy ganodd y gloch? Yr hwch a'r moch.

DT

Bronnant, Cered. Mewn fersiwn a gofnodwyd yn Atpar,
Cered., mae'r ddwy linell olaf yn wahanol, sef:
Pwy sydd yn yr angla'? Haid o gŵn hela.
Pwy ddaeth yn ôl? Haid o foch.

DT

Ychydig yn wahanol eto yw'r fersiwn canlynol a gafwyd ym Môn:
Pwy fu farw?
Siôn Ben Tarw.
Pwy gaiff y cwpan?
Siôn Ben Tympan.
Pwy gaiff y llwy?
Pobol y plwy.

LlGC (Llên Gwerin Môn, 1890), 121

776

'Ust! Dyna rech,'
Meddai gwraig Pen-llech.
'Oedd hi'n un fawr?'
Meddai gwraig Tyddyn-mawr.
'Oedd, llond ffedog!'
Meddai gwraig Llety Fadog.

LlG 23, 5

Llanffestiniog, Meir.

777

Rhwbia dy fol
Efo eli trol;
Rhwbia dy din
Efo *vaseline*.

AWC

Glyn Ceiriog, Llandyrnog, Dinb.

778

Sambo slic â bola slac
Aeth i'r ffair i werthu cacs.
'Fethodd gwerthu dim ond un;
Gwthio'r lleill lan twll 'i din.

AWC 3396/18

779

Seimon Samon
Gwympodd i'r afon;
Fe gododd ei ben
A gwaeddodd 'Amen!'

AWC 1852

Llandysul, Cered.

780

Shorten fach merch ei mam
Gaiff y gwin a'r bara can;
William bach mab ei dad
Gaiff ei wipo nes bo gwa'd.

LlGC (DRP) 60, 86

781

Siân fach annwyl,
Siân fach fi;
Fi pia Siân
A Siân pia fi.

DT

Bwlch-llan, Cered.

782

Siôn a Siân a Siencyn
Yn byw yn sir y Fflint,
Yn berchen tai a thiroedd
Ac arian hefyd gynt.
Ond diwedd Siôn oedd marw
Heb adael ar ei ôl
Ond ffiol a llwy a lletwad
A sgilet fach a stôl.

DT

Llanwenog, Cered. Ceir sawl amrywiad ar y rhigwm hwn:

Siôn a Siân a Siencyn
Yn mynd i sir y Fflint;
Siôn yn ennill coron
A Siân yn ennill punt.
Pan ddarfu iddynt farw
Doedd yno ar eu hôl
Ond crochon bach a lletwad
A llwy a ffiol a stôl.

DT

Llandysul, Cered.

Roedd Siôn a Siân a Siencyn
Yn byw yn sir y Fflint;
Aeth Siôn i hela cadno
A Siân i hela'r gwynt,
A Siencyn a fu
Yn cadw'r tŷ.

DT

Bwlch-llan, Cered.

Siôn a Siân a Siencyn
Yn byw yn sir y Fflint;
Gwerthodd Siôn yr asyn
Am dair neu bedair punt.

DT

Llanddewibrefi, Cered.

783

Si So ben jeri do,
Cysgu heddi 'r ôl meddwi ddo.

LlGC (DRP) 418, 12

784

Siôn a Siân a Siencyn
Yn mynd i gorddi menyn;
Fe ffaelws Siôn, fe ffaelws Siân,
Fe ffaelws Jac Penderyn.

LlGC (DRP) 60, 47-48

785

Siôn a Siân yn byw'n yr un tŷ –
Rhostio'r gath a berwi'r ci.

DT

Llanddewibrefi, Cered.

786

Sioni bach a finne
Yn mynd i ffair y Blaene;
Un trwy'r coed a'r na'll trwy'r nant
Am hanner cant o bunne.

LlG 29, 22

787

Sioni Mashîn
A'i fys yn ei din
Yn whare'r ffidil
A thamporîn.

Brych.

788

Wel dyna rai ffôl
Oedd Dic Tŷn-y-ddôl
A Robin Tŷ-draw ac Ifan,
Ar ddiwrnod o wynt
Yn mynd ar eu hynt
Ar draws y môr mewn powlan.

AWC 1923

Tre-garth, Caern.

789

Sioni 'mrawd a finna
Yn mynd i Ysgol Carna;
O'dd Siôn yn un ar ugan o'd
Cyn iddo ddechra wilia.

DT

Llangeitho, Cered.

790

Sioni, Wil a Dai
Yn mynd i'r lefel glai;
Sioni'n colli'i wasgod
A fi yn cael y bai.

LlG 29, 22

791

Sionyn a Sioncyn,
Dau gyw dryw;
Un yn hanner marw
A'r llall yn hanner byw.

LlG 28, 23

792

Siw Pen-rhiw
Ar gefn y cyw;
Cyw yn hedfan
Siw yn whiban.

DT

Atpar, Castellnewydd Emlyn, Cered.

793

Wan, tw, thri ffôr,
Betsan Robaits Glan-y-môr.
Un fil naw cant
Pedwar ugain Dafydd Cranc.

LlG 10, 11

Trefald.

794

Sionyn Morris cawl gwsberis
Gwmpodd lawr i dwll dansieris.

AWC 3039

Cefneithin, Caerf.

795

Sionyn o Langybi yn rhedeg lan yr allt
Yn crio fel y babi am fod ei gawl yn hallt;
Ei fam oedd yn y gegin yn galw arno'n ôl
I fwyta'i gawl heb halen – on'd oedd e'n lencyn ffôl?

AWC 2186/3

Dyffryn Cletwr, Cered.

796

Tali, tali, tali,
Bu farw'r hen Siôn Parri,
Wedi'i osod ar y sgrin*
A thwll ei din i fyny.

LlGC (Gwenith Gwyn) 236, 181

Dyffryn Ceiriog.
*Sgiw, setl

797

Twm Siôn Cati aeth i garu
A'i got goch ar gefn y donci.
Gwelodd fwci yn y rhedyn;
Nid aeth byth i garu wedyn.

DT

Bwlch-llan, Cered. Yng ngogledd Cered. clywid fersiwn
ychydig yn wahanol:

Twm Siôn Cati aeth i garu
Noson dywyll fel y fagddu.
Clywodd sŵn rhyw gart a donci;
Rhedodd adre fel y wenci.

DJE: HCS 121

798

Twm y rwm y ryman
Werthodd ei fam am bwtyn o gryman.
Prynodd hi'n ôl am bedol a ho'l;
Gwerthodd hi wedyn am geillie gwybedyn.

AWC

Ffair-rhos, Cered.

799

Wil Dwy Lath a saethodd y gath
Ond doedd o ddim yn trio.
Ar frigyn derwen bore ddoe
Roedd Wil mewn noe yn nofio,
A gwraig y tŷ yn gwneud ei gwallt
A'i thrwyn mewn padell ffrio.

AWC

Llanuwchllyn, Meir.

800

Wil Go y Gaseg
Yn methu siarad Saesneg.
Yes a No dyna fo,
Dyna Saesneg Wil y Go.

AWC 2186/7

Dinb.

801

Ysgwarnog fach lwyd gwta
Sy'n pori brest y graig,
A gŵr o war Llandeilo
Sy'n arfer curo'i wraig.
Fe'i rhwymodd ar y ffwrwm,
Fe'i chwipiodd nes yn chwys
Am dorri cosyn bychan –
Dwy geiniog oedd ei bris.

Cwrs y Byd (1894), 200

802

Dryw, dryw,
B'le rwyt ti'n byw?
Draw, draw ger y nant
Gyda deg o blant.

DT

Llanwenog, Cered.

803

Wyt ti eisio stori?
Y gaseg yn pori.

Wyt ti eisio dwy?
Aeth ar y plwy.

Wyt ti eisio tair?
Aeth i'r ffair.

Wyt ti eisio pedair?
Collodd ei phedol.

Wyt ti eisio pump?
Cafodd gwymp.

Wyt ti eisio chwech?
Rhoddodd rech.

Wyt ti eisio saith?
Aeth i'r gwaith.

Wyt ti eisio wyth?
Taflodd ei llwyth.

Wyt ti eisio naw?
Syrthiodd i'r baw.

Wyt ti eisio deg?
Rhoddodd reg.

LlG 73, 4

Dinb. Ceir amrywiadau lawer ar y rhigwm hwn o bob
rhan o Gymru.

CREADURIAID

804

Aderyn twt
Yw'r sigl-di-gwt,
Ei weled a lonna fy nghalon;
Ond ni all un
O deulu dyn
Roi halen ar ei gynffon.

LlGC (Llên Gwerin Dyffryn Tawe, 1907), 118

805

Ar ei gefn mae cig yn rwmle*
A thwll 'i din e miwn yn rhw'le.
[Am fochyn tew]
Ar ei gefn does gig 'r un bripsyn
A thwll 'i din e ma's yn bigyn.
[Am fochyn tenau]

HE/MD: FWI 108

*Rhwmle – twmpathau neu haenau (o gig &c.)

806

Ar fore oer yn Ebrill
Bu farw'r asyn teg,
A dyna oedd y fyrdict,
Bod isio mwy'n ei geg.

AWC (Tâp 3540)

Cricieth, Caern. Pennill o waith Richard Williams, Cricieth, a
ymddangosodd yn *Yr Herald Cymraeg* i goffáu mul Robin Watkins,
hen gymeriad a fyddai'n cario negeseuau o'r stesion i bobl yn ei
gert fach, a'r asyn – a oedd yn hen iawn – yn tynnu.

807

Ar fore Ffair Wenog
Daeth Penwen â llo
A honno'n llo fenyw –
A dyna i chi dro.

DT

Llangeitho, Cered.

808

Ar y mochyn ceir cig moch,
Llawer yn wyn a pheth yn goch.
Wrth ei ladd ceir llawer o boen,
Wedi ei flingo fydd ganddo'r un croen.

LlGC 10568 ii. 47

Meir. Ardal Drws-y-coed a Rhyd-y-main, c.1869.

809

Ar y mynydd y mae hwrdd;
Mae o'n dal yno os nad aeth o ffwrdd.

Ff a Th 4, 18

810

Blacpadan*, blacpadan,
B'le buost ti ddo?
Yn caru'r hen wejan
Ar bwys y cwtsh glo.

Resolfen, Morg.
*Chwilen ddu, black-beetle

811

Bu farw 'r hen Begi
A'r gath yn ei chôl,
Ac iddi gadawodd y bwthyn
A chymaint o'r llaeth oedd ar ôl.

AWC 1857

Llandysul, Cered.

812

Cath modryb Elin
Sy'n gath go-lew,
To'dd hi ddim yn denau,
T'odd hi dim yn dew.
Blewyn byr a blewyn garw,
'Doedd yn biti iddi farw?

AWC 3258

Perthynas agos i'r uchod yw'r fersiwn yma:

Yn tŷ ni mae cath go-lew,
Dydi hi ddim yn dena
Dydi hi ddim yn dew.
Mae'i thrwyn hi'n fyr
A'i chynffon yn fain
Yn eistedd ar y pentan
'R un fath â nain.

AWC 2186/5

813

Cath wen gyda Gwen,
Cath las yn y Plas,
Cath goch yn Tŷ-coch,
Cath ddu gyda ni,
Cath dew yn y rhew
Bron â marw yn gweiddi 'Miew!'

AWC 2186/62

Rhigwm a ddysgwyd yn y Wladfa gan ferch a'i mam o
Gydweli a'i thad o Lanarmon-yn-Iâl.

814

Does gennyf i ddim i gynnal fy nhŷ
Ond trenshwr* du bach a cheiliog a chi.
Pan ddelo hi'n ddydd y ceiliog a gân
A'r ci bach yn chwarae gogyfer â'r tân.

Cymru xxxii (1907), [299]

Gogledd Morg.
*Plât neu ddysgl (bren) ar gyfer bwyd

815

Ci bach a chi mowr aeth i'r ffair i wmla'*,
Cwmpodd y ci bach ar 'i ben i'r llaca;
Sianco, Sianco, cwyd dy ben
A sych dy drwyn mewn porfa wen.

DT

Aber-porth, Cered. Yn sir Gaerf. ceid fersiwn ychydig yn
wahanol:

Ci mowr a chi bach yn *go to* wmla',
Dowlodd y ci mowr y ci bach i'r llaca.
'*Come up again,*' mynte'r ci mowr wrth y ci bach.
'Sych dy ben bach yn y borfa.'
*Ymladd

816

Ci bach da
Yw'r ci bach du,
Yn cadw'r gwartheg
Rhag dod at y tŷ.

AWC 1955/1

Waunfawr, Caern.

817

Dŵr poeth a chambren,
Gwellt, gwrych a blew,
Pawb yn rhyfeddu
Fod y mochyn mor dew.

AWC (Tâp 4481)

Tregeiriog, Dinb. Diwrnod lladd mochyn

818

Daeth hwch hen ŵr y felin
Ag un ar ddeg o foch;
Bu farw'r mochyn lleia'
Tua un ar ddeg o'r gloch.

AWC 2012/2

Tre-lech, Caerf.

819

Cychwyn dy daith ar garlam
Yn enwedig gyda moch,
Dy daith fydd lawn o helbul
A'th wyneb yn bur goch.

AWC 2186/52

Pennill am yrru moch dros y Berwyn. Un arall a gofnodwyd yw:

Gyrru moch yn frysiog, frysiog,
Cyn pen y daith fe fyddi'n gleisiog.
Yn ara bach mae cadw trefn
Gan gosi'r moch ar hyd eu cefn.

AWC ibid.

820

Cymaint ganant cyn Ŵyl Fair*
A griant cyn Ŵyl Dewi.

Cymru xlv (1913), [163]

Llanfrothen, Meir. Am adar. 'Gallant gael llawer o dywydd
garw rhwng y ddwy Ŵyl.'
*2 Chwefror

821

Dacw ddyn yn gyrru moch,
Mochyn gwyn a mochyn coch;
Un yn wyn yn mynd i'r cwt
A'r llall yn goch â chynffon bwt.

CM 593, 568

822

Daeth clwy y traed a'r genau
Yn sydyn i'n rhes ni;
Fe laddwyd mochyn Efan
A mochyn bach John G.
Fe'u claddwyd hwy yn barchus
Gan ddynion go ysbriws
Chwe troedfedd yn y ddaear
Yn noldir Dafydd Huws.

AWC 2046

Cylch Corris, Meir.

823

Deryn y Bwn o'r banna'
Aeth i rodio'i wylia.
Lle disgynnodd o ar 'i ben?
Ond yn Rhostrehwfa.
Fe glywodd dwrw saethu,
Fe aeth i'r ffos i lechu;
Eithin mân yn pigo'i din,
A chrwmp 'i din o'n crynu.

LlG 74, 13
Ardal Malltraeth

824

Dywedaf wrth fynd heibio
Er nad oes dim i'w gael,
Fod mul a rhywbeth ynddo
Yn well na cheffyl gwael.

AWC

825

Ebol pedwar troedwyn, na chadw dros ddiwrnod,
Ebol tri throedwyn, gwerth yn ddiannod,
Ebol deudroedwyn, dyro i'th anwylyd,
Ebol untroedwyn, cadw mal dy fywyd.

Pennill a gofnodwyd gan William Owen-Pughe. Dyma
amrywiad arno:

Un troed gwyn, y ceffyl pryn,
Dau troed gwyn, y ceffyl pryn,
Tri throed gwyn, yn graff edrych arno,
Pedwar troed gwyn, dos ymaith hebddo.

LlG 26, 16z
Ceir yr un neges mewn fersiwn Saesneg hefyd, ond yno
ychwanegir dwy linell glo:

Four white feet and a stripe on the nose,
Knock him on the head and feed him to the crows.

Simon Brett (gol.), The Faber Book of Useful Verse (1981), 246

CREADURIAID

826

Fel roeddwn yn fachgen yn rhodio glan Hafren
Mi welwn whiaden ar donnen y dŵr;
Hi weithiau ymgodai gan gyfuwch â'r tonnau,
Waith arall hi ymgladdai mewn gloywddwr.

LlGC 173, 13

827

Fi gwnas acha bora,
Fi nitho fargan ddecha,
Fi brynas fochyn gan ryw ddyn
A thwll 'i din yn isha.

TM

828

Fy nghariad aeth i brynu moch,
Mochyn du a mochyn coch;
Un â chynffon wrth ei din
A'r llall yn gwta heb yr un.

CM 593, 520

829

Ffarmwr mawr yw Salmon Jones,
Tair o wartheg a thri o foch;
Stoc y Maer* sy'n fwy na hynny,
Pedair buwch a mownten poni.

Ff a Th 26, 32

*William Freeman, Llanengan, Llŷn

830

Gŵyl Fair ddiwethaf yr es oddi yma,
Mi adewais lawer o ŷd, o ŷd.
Gwŷr y ffustiau a gwragedd y gograu
Aeth ag e oddi yma i gyd, i gyd.

LlG 52, 7

Cân y wennol ar ôl dychwelyd i'r wlad

213

831

Gan Jac y Go
Mae buwch a llo,
Ac os y llo ni ddigwydd farw,
Gan Jac y Go
Bydd buwch a llo.

DT

Llangeitho, Cered.

832

Gelyn llencyn ydyw llances,
Gelyn pennog yw Gwyddeles,
Gelyn gwyddau Hafod Ifan
Ydyw llwynog bywiog, buan.

CM

833

Gyda'r mochwr
Roedd lot o foch;
Peth o nhw'n wyn
A pheth o nhw'n goch.
Ond dyna'r mochyn
Oedd mochyn Ben;
Peth o fe'n wyn
A pheth o fe'n wen.

AWC 2186/4

Pen-boyr, Penf.

834

Mae genny hen gel* manshi*
O dan yr ardd yn pori;
Os rhowch chi hanner coron dwt
Cewch weld ei gwt yn codi.

AWC 1798/409

Brych.
*Cel – ceffyl
*O'r Saesneg *mangy*

835

Gyda phiser ar fy mhen
Af i odro'r fuwch fach wen.
Dacw hi wrth ddrws y beudy
Yn fy nisgwyl i o'r llaethdy.

AWC 2186/9

836

Hai'r ceffyl menthyg
Nes torro fo'i lengig.

LlG 26, 16
'Dim angen bod yn ofalus o geffyl ar fenthyg.'

837

Hoi! Dyma drefn yr iâr ddu,
Dodwy allan a domi'n y tŷ.
Hoi! Hoi! Dyma drefn yr iâr wen,
Domi yn y tŷ a dodwy ar bren.

DT
Atpar, Castellnewydd Emlyn, Cered. Mwy cyfarwydd efallai
yw'r rhigwm:

'Smonaeth iâr ddu –
Dodwy allan
A chachu'n y tŷ.

Clywir yr un rhigwm yn ardal Llandeilo ar wahân i'r gair
cyntaf. 'Trefen' nid "Smonaeth' a geir yno.

838

Mae gen i ebol melyn bach
Ger Porth-y-wrach yn pori;
O gwylied syrthio dros yr allt
I'r eigion hallt a boddi.
Mi fasa'n golled mawr i mi
Pe bai o'n digwydd syrthio,
A minnau wedi talu'n ddrud
I Siôn y Rhyd amdano.

EG: AHBR 42

215

839

I geiliog mawr Ann Morgan
Digwyddodd anap dost;
Da'th pwff o wynt o'r dwyra'n
A'th rhwng y drws a'r post.
Fe'i wasgwyd ar ei gegen*
Nes iddo ganu'n groch,
A dyma'r alaw ola
O geg y ceiliog coch.

AWC 1522

Glanaman, Caerf.
*Corn gwddf, corn gwynt

840

Lle'r gwartheg yw y glowty*
Pan ddarffo'r haf gynhesu;
Rhy aethus iddynt yw bod ma's –
Mae'n gas 'u gweld nhw'n sythu.

TM

*Beudy

841

Mae gennyf bedair dafad
A barlad a dwy hwyad,
Hen geiliogwydd a gŵydd lwyd
Yn gweiddi am fwyd yn wastad.

DT

Atpar, Castellnewydd Emlyn, Cered.

842

Mi welais glamp o lwynog
Yn dringo fyny'r fawnog,
Ei din yn grach a'i ben yn llau
Fel ebol dauwynebog.
    Yn 'doedd o'n un hyll?

LlGC (Gwenith Gwyn) 236, 183

Dyffryn Ceiriog

CREADURIAID

843

Mae gen i gath ddu
Fu erioed ei bath hi;
Fe gurith y clacwydd
Hi dynnith ei blu.

Mae ganddi 'winedd a barf
A'r rheiny mor hardd;
Mi helith y llygod
Yn lluoedd o'r ardd.

Daw eilwaith i'r tŷ
Gan guro y ci;
Fe rof i chwi gyngor
I gadw cath ddu.

DT

Bwlch-llan, Cered.

844

Mae gennyf ddafad gyrnig
Yn pori ar y ddôl
A chenti oen bach brithwyn
Yn brefad ar ei hôl.

Mae gennyf fuwch gynffonwen
A llo bach wrth ei chwt;
Mae'i groen e fel y sidan
Ond bod ei drwyn yn smwt.

LlGC 1131, 47

845

Marw arch, marw arch!
Ym mha le? Ym mha le?
Yn y cwm draw, yn y cwm draw.
Ydyw o'n dew? Ydyw o'n dew?
Twr o floneg, twr o floneg!

Bye-gones (1902), 518

Esbonir y rhigwm fel *an attempt to render the hoarse cry of the carrion crow into words.* Yn Bye-gones (1903) 14 Ionawr ceir fersiwn Saesneg ohono o swydd Amwythig.

846

Mae gennyf ddeg ar hugain
O wyddau ar y banc,
A'r clacwydd oedd y sarjant
A hwythau i gyd yn rhanc.
Ond daeth y cadno heibio,
Ni ddrychodd ddim o'u rhif;
Mi aeth â'r cwbwl ganddo
Ond 'chydig bach o bluf.

DT
Llandysul, Cered.

847

Mae gennyf ebol yng Nghaeronw
Cyd ei fwng â chynffon tarw.
Mae arnaf eisiau ei nôl adre
Er cael rhawn i wneuthur rhaffe.

CM

848

Mae'r brain yn Llety'r Beili
Yn byta'r haidd i fyny;
Peth od fod dyn yn bod mor hyll
Heb geisio dryll i'w saethu.

TM

849

Mi af i brynu mochyn oddi yma i Gefn-y-groes
Er fod yr eira'n lluwchio ac yn peryglu f'oes.
Mae'r mochyn yn bur denau a minnau yn dylawd;
Mae arnaf eisiau arian, a'r mochyn eisiau blawd.

Wel buan byddo'r prydydd yn ŵr bonheddig gwych,
A'r mochyn wedi pesgi a'i gig uwchben yn sych.
Ac yna ni raid ofni nag eira a gwynt a rhew;
Caiff wledda yn ei barlwr ar gig y mochyn tew.

CM

218

850

Pwy sy'n byw ar ben y rhiw?
Ceiliog, giâr a phedwar cyw.

DT

Llandysul, Cered.

851

Mae mochyn gan Wil Ifan
Sy'n waeth na'r ysbryd aflan;
Os na chaiff e fwyd sy'n ffit
Mae'n tyngu y byt e'r cafan.

AWC 2186/3

Llandysul, Cered.

852

Mae mochyn yn y Felin,
A hwnnw heb ddim blew,
Yn bwyta bonion cabetsh,
Ni ddaw e byth yn dew.

LlG 42, 21

Silian a Chribyn, Cered.

853

Na ladd y mân adar sy'n nythu'n y pren,
Na ladd y mân bryfed sy'n nythu'n dy ben.
Yr un yw eu crëwr, yr Arglwydd dy Dduw;
Mae'n iawn i bob chwannen a bycsen* gael byw.

BLJ: ISF 19

*O'r Saesneg *bug*

854

Mae gennyf i ddau fochyn a rheiny'n eitha tew,
Mi a'u gwerthaf i chi, Gwarnant, os rhowch chi bris golew,
Hyderaf y gwnewch anfon eich ateb yn ddi-ffael
A dweud y pris a roddwch, os ydych am eu cael.

AWC 2186/3

Neges gan ffermwr o Dalgarreg, Cered. at Gwarnant Williams, porthmon.

855

O na bawn i'n fochyn;
Bwyta llond fy mol
A chysgu dan y drol
Wedyn.

LlG 32, 7

856

O na bawn i'n fochyn,
Cawn orwe' digon wedyn,
A'm troi yn gi pan awn yn hen
Gael safio'r gyllell dan fy ngên.

DT

Aber-banc, Orllwyn Teifi, Cered.

857

O Sioned, o Sioned, na sonia di am sen,
Mi ffeiriais fy ngheffyl am hen gaseg wen;
Fe'm tawlodd i deirgwaith a 'nhin am fy mhen,
Ni wn i ai felly gwna pob caseg wen.

CM

858

Onid oedd Siencyn yn hogyn drwg iawn
Yn boddi Miss Pwsi ym mhwll du y mawn?
A hithau mor fedrus yn dal llygod bach
Sy'n torri twll beunydd yng ngwaelod y sach.

AWC 2186/13

Godre Cered.

859

Pedwar enw sydd ar y gath:
Titw, pwsi, *cat* a chath.

DT

Cross Inn, Cered. Yn Aber-porth, Cered., ffurf y rhigwm oedd:
Titw, mew, *cat* is cath,
Pedwar enw ar y gath.

860

Och y fi na bawn yn gi,
Cwnnu 'nghwt a bant â fi.
Och y fi na bawn yn fochyn –
Celwn orwedd ddigon wedyn.

Resolfen, Morg. Yn Nhudweiliog, Caern., y cwpled clo yw:
Teg fy mryd pe bawn yn fochyn,
Bwyta pryd a chysgu wedyn.
Gw. hefyd 855 a 856 uchod.

861

Onid oedd hi'n resyn
I dorri cynffon Toss
Gyda chleddyf miniog
Wrth fôn ei din mor glos.

MRW: DA 23

Adroddwyd y pennill hwn gan Dr R. Alun Roberts, pan oedd yn lled
ieuanc, wrth y Parchedig William Williams, Tal-y-sarn, a oedd wedi
galw yn ei gartref. Cafodd gurfa ar ôl ymadawiad y gweinidog.
Fersiwn arall yw:

Pwy a fu mor greulon
Â thorri cynffon Toss
Hefo erfyn miniog
A thwll 'i din mor glos?

AWC

862

Y gwcw ffôl a'r wennol ddiffydd,
Brith yr had* a'r slumyn*;
Y neidr frech* a'r ffroga* ffriw,
Y seithfed peth – morgrugyn.

AWC 1793/465

Brych. 'Y Saith Gysgadur' y credid eu bod yn mynd i gysgu dros y
gaeaf. Am restr o gysgaduron eraill gw. GPC o dan y gair *cysgadur*.
    *Brith yr had – *pied wagtail*
    *slumyn – ystlum
    *neidr frech – *grass snake*
    *ffroga – broga

863

Prynwch benwaig Nefyn,
Ni fu eu bath am dorri newyn;
Prynwch benwaig Nefyn
Newydd ddod o'r môr.
A chwi bob un yn cysgu'n dawel
Heb un sôn am fôr nac awel,
Wrthi roeddem ni heb gysgod
Ar y môr yn hela pysgod.
Prynwch benwaig Nefyn,
Nid bach o beth eu dwyn o'r ewyn;
Prynwch benwaig Nefyn,
Ni wyddoch faint eu gwerth.

AWC 2186/13

Gw. RG:BF 55. Byddai gan werthwyr penwaig waedd i dynnu
sylw cwsmeriaid:

Penwaig Nefyn! Penwaig Nefyn!
Bolia fel tafarnwrs,
Cefna fel ffarmwrs,
Penwaig! Penwaig!
Newydd ddod o'r môr.

M ap D: ETC 36

Pennill arall o'r gogledd yn ymwneud â gwerthu penwaig
yw hwn:

Un a dau a du yw pennog,
Tri a phedwar, dal dy ffedog,
Pump a chwech os wyt yn chwannog,
Saith ac wyth, wel moes dy geiniog.

CM

864

'R olwg arni oedd ddychrynllyd,
Roedd hi'n wlyb o'i phen i'w thra'd
Ac yn gweiddi wrth y ffenest
Ac yn sgrechian 'Wad, wad, wad!'

LlGC 10568 ii. 47

Meir. Disgrifiad o golomen Noa wedi iddi ddychwelyd i'r arch.
Cafwyd mewn cyfarfod llenyddol yn y Parc ger y Bala, 1864.

865

Tyred adre'r ebol gwine,
B'le gadewaist dy bedole?
Obry, obry ar lan Teifi
Fan lle boddodd Samuel Parri.

DT

Llanwenog, Cered.

866

Y deryn bach â'r fron goch
Sy'n codi 'i gloch yn amal;
Bydd weithiau uwchben yn begor tlws,
Ac weithie wrth ddrws y stabal.

AWC 1141

Trefald.

867

Y llwynog dygn, dyfal,
Mae cŵn gan Llwyd y Gynfal;
Pan êl y rhain i hela'n ffri
'E golli di dy hoedal.

Pan êl y cŵn i'w cenel
Af inna i ladd yn ddirgel;
Er maint eu grym ar dir a dŵr
Mi fydda'n siŵr o'm hoedel.

CM

868

Wythnos dwetha ces hi'n galed
Efo'r go'n pedoli hwyed;
Wrth bedoli'r ceiliog melyn
Cefais gic yn anghyffredin.

TE: PC 21

Pennill ac ynddo adlais o'r arfer o bedoli hwyaid (â phyg a
thywod) ar gyfer eu gyrru i'r farchnad.

869

Robin Goch yr eira,
Oer yw gwynt y gaea;
Tyrd i'r drws 'r hen Robin tlws,
Fe gei di damaid yma.

AWC 1923

Tre-garth, Caern.

870

Rwy'n edrych dros y bryniau draw
Lle mae imi gneifiau gwynion
I'm cadw'n gynnes rhag y rhew –
Does fawr o flew ar ddynion.

AWC 2186/46

Llanrhystud, Cered.

871

Sgadan Aber-porth!
Dau lygad ac un corff.

DT

Galwad gwerthwyr sgadan (penwaig) yng ngodre Cered.
Weithiau clywid:

Sgadan Aber-porth,
Dau fola mewn un corff.

DT

Aber-porth
Bryd arall y waedd fyddai:

Sgadan ffres o Aber-porth
Ddaliwyd yn y rhwyd;
Dewch a phrynwch a bwytewch,
Maent yn flasus fwyd.

AWC 1864

872

Sgadan ffres heddi
O fôr Ceinewy'.

GT: BLl 79

'Gwaedd Ianto Sgadan yn Ffair Santesau, Llanybydder.'

873

Rhyw ddiwrnod go ryfedd oedd claddu'r hen Liws
A'i rhoi mewn bedd heb arch a heb sgriws.
Ond bore'r Atgyfodiad fe gyfyd yn rhwydd
A'i chynffon i fyny fel polas* fach flwydd.

LlG 26, 16

Am gaseg Tycerrig, Garndolbenmaen, a fu farw'n hen iawn.
*Eboles

Pennill tebyg a gofnodwyd am geffyl yn Llŷn:

Torri bedd newydd
I gladdu'r hen Fox;
Ei roi yn y ddaear
Heb amdo na bocs.

Yn nydd 'r Atgyfodiad
Mi gyfyd yn rhwydd
A'i gynffon i fyny
Fel 'r un ebol blwydd.

LlG 17, 15

874

Y llwynog, pry cyfrwys ydi o,
Mi ladd wydde yr holl fro,
Ac ambell i oen hefyd.

LlGC 10568 ii. 49

Meir.

875

Yr asyn a fu farw
Yn efail Parri'r go';
Mi roedd o yn ful garw
Ond fod o braidd yn slo.
Y gof aeth i'w bedoli
A'i forthwyl yn ei law,
A'r mul pan welodd hynny
A gwympodd yn ei fraw.

AWC 3274/58

876

Yn ara bach mae dala iâr,
Yn wyllt gynddeiriog mae dala ceiliog.

Ar lafar yn gyffredin

COSB AM LADD ADAR
NEU AM DORRI EU NYTHOD

ADERYN DU, MWYALCHEN

877

Os torri di nyth aderyn du
Cei dy hongian wrth dalcen tŷ.

DT

Cwmpadarn, Llanbadarn Fawr, Cered.

878

Sawl a dorro nyth mwyalchen
Gaiff gornwydydd ar ei dalcen;
Cyll ei wallt a chyll ei 'winedd
Ac yn y diwedd cyll ei ddannedd.

AWC 2012/2

Tre-lech, Caerf.

BRÂN

879

Os torrwch chi nyth y frân
Fe gewch ddigon o goed tân.

DT

Atpar, Castellnewydd Emlyn, Cered.

CREADURIAID

880

Y sawl a dynno nyth y frân
A gaiff fynd i uffern dân.

Trefald.

LlG 10, 11

DRYW

881

Neb a dorro nyth y dryw
Ni chaiff iechyd yn ei fyw.

Cymru xxxiii (1907), [105]

Weithiau 'Ni chaiff gysur yn ei fyw'.

882

Os lladdwch chi'r dryw
Chewch chi byth weld Duw.

LlG 46, 4

883

Y neb a dorro nyth y dryw
Ni wêl fwyniant yn ei fyw.

Ystên Sioned (1894), 96

EHEDYDD

884

Y sawl a dynno nyth ehedydd
Gyll oddi ar ei ben ei fedydd.

Ar lafar

GWENNOL

885

Pwy bynnag dorro nyth y wennol
Chaiff e byth fynd i'r nefo'dd.

LlGC (Llên Gwerin Sir Gaerf., 1895), 340

886

Y sawl a dynno nyth y wennol
Ni wêl fwyniant yn dragwyddol.

LlG 71, 4

887

Pwy bynnag dynno nyth gwenolen
Aiff e byth i'r nefoedd lawen.

Gogledd Cered. Ar lafar yn gyffredin.

888

Y sawl a dynno nyth gwenolen
Gaiff rodio'n llwm ar waelod uffern.

Morg.

Y BINC

889

Y sawl a dorro nyth y binc
A gaiff ei grogi wrth y linc.

Cymru lxv (1923), 127

PENFELYN

890

Os torri di nyth penfelyn
Cei dy gorco yn dy goffin.

DT

Aber-banc, Orllwyn Teifi, Cered.

PIODEN

891

Y sawl a dorro nyth pioden
Gaiff ei hongian wrth y goeden.

Y Geninen xxxiii (1915), 247

Cered.; Rhymni

CREADURIAID

ROBIN GOCH

892

Os lladdwch chi'r robin goch
Cewch fynd i'r tân coch.

LlG 46, 4

893

Os lladdwch y robin
Cewch waed yn eich coffin.

DT

Atpar, Castellnewydd Emlyn, Cered.

894

Os torri di nyth robin goch
Cei di dwca yn dy foch.

DT

Cwmpadarn, Llanbadarn Fawr, Cered. Yn Cross Inn, Cered.,
'Ti gei dwll yn dy foch', ac yn Eifionydd, Caern., 'Y sawl a
dynno nyth robin goch / Mi gaiff dincod yn ei foch'.

895

Os torrwch nyth y frongoch gam
Ni welwch byth mo wyneb mam.

DT

Atpar, Castellnewydd Emlyn, Cered.

896

Pwy bynnag dorro nyth y gochgam
Ni wêl byth wyneb ei fam.

LlGC (Llên Gwerin Sir Gaerf., 1895), 340

897

Y sawl a dynno nyth bronrhudden
Gaiff rodio gwaelod uffern.

LlGC (Llên Gwerin Dyffryn Aman, 1907), 131

229

898

Y sawl a dorro nyth y robin
A gaiff gorco yn ei goffin.

DJE: HCS 123

Cered.

899

Y sawl a dynno nyth y gochgam
Ni chaiff gysur gan ei fam.

AWC

Neu 'Sy'n ddigon rhydd i ladd ei fam'.

SIANI LWYD, LLWYD Y BERTH

900

Y sawl a ddwyn wyau Siani Lwyd
Fe fydd farw o eisiau bwyd.

DT

Llanddewibrefi, Cered.

BWYD A DIOD

901

Ai ti yw'r Cardi penwyn
A fagwyd ar la'th enwyn?
Nid oes dy fath tu yma i'r North
Am sleisio'r dorth a'r cosyn.

DT

Aber-banc, Orllwyn Teifi, Cered.

902

Bara dŵr a sinsir
I ddynion sy'n secur;
Cawl a chig a thato
I ddynion sy'n gweithio.

AWC 3274

Porthcawl. Yn Aber-porth, Cered. y pennill oedd:

Cawl cig a thato
I ddynion sy'n gweithio;
Cawl dŵr a phupur
I ddynion sy'n segur.

DT

903

Arglwydd annwyl dyma fwyd,
Cawl sur* a bara llwyd;
Caws a menyn yn y *dairy*,
Arglwydd annwyl, anfon rheiny.

AWC

Gan was ffarm yn ardal Tyddewi, Penf., un bore ar adeg
dyletswydd deuluaidd.
*Cawl a wneid drwy 'roi dŵr am ben yr un cig moch bob
dydd am oddeutu wythnos'.

904

Bara ceirch tena',
Cocos a wya'
Sy'n gwneud hen ferched
Ysgwyd 'u tina'.

LlG 12, 10

Fersiwn arall:

Cocos a wya'
A bara ceirch tena'
Sy'n gneud i hen ferched
Godi'u penola'.

Waunfawr, Caern.
Yn ôl coel gwlad yr oedd cocos ac wyau yn dipyn o
affrodisiag.

905

Bara haiddaidd glas
Yn hala gwas yn egwan.

Bye-gones (1903) 22 Ebrill

906

Brych buwch a brechdan,
Cachu llo bach a bwdran*,
Basned o gawl i hela fe lawr,
Dyna 'chi fwyd i gowman.

Gogledd Cered.
*Math o lymru (bara ceirch a llaeth enwyn) tenau

907

Cwrw da wrth fynd i dre,
A chwrw da yn y dre,
A chwrw da wrth ddŵad adre,
Ond yn hen Blas Gwyn mae'r cwrw gore.

Bye-gones (1908), 294
Cwrw a wneid gan wraig o'r enw Jenny Howell mewn hen
ffermdy o'r enw Plas Gwyn nas lleolir.

908

Bara llaeth sy'n dda i blant
A cheirch i hen geffyle;
Whip a dŵr i bonis bach
A bant â nhw i whare.

Ff a Th 7, 14

Cered.

909

Cawl i frecwast, cawl i ginio,
Cawl i swper gawn ni eto.
Arglwydd mawr, bendithia'r cawlach
Rhag i'n boliau fynd yn afiach.

DT

Llechryd, Cered., Gogledd Cered. Gw. hefyd 936 isod.

910

Cawlach, cawlach yn hala dyn yn afiach,
Coffi, coffi yn hela dyn i dopi*,
Te, te yn rhoi popeth yn ei le.

LlGC (Llên Gwerin Sir Gaerf., 1895), 534

*Gall 'topi' olygu 'hepian'. Gw. GPC.

911

Clywsoch sôn am gawl sir Benfro,
Poten farlys fawr oedd ynddo;
Hwnnw'n berwi dros yr ymyl,
Berwch ef yn gynnil, gynnil.

Bye-gones (1903), 80

912

Cwpaned o de a wna i mi les
Waeth uwd a ges y bore,
A chyn wired â 'mod i'n fyw
Uwd fydd yn fy nisgwyl adre.

AWC 2008/6

Llanbryn-mair, Trefald.

913

Cocos Pen-clawdd, rhai hawdd eu dala,
Dewch, bwytewch, a chewch eich gwala.

AWC 1864

Galwad gwerthwr cocos a sgadan yn Aberaeron

914

Cwrw da
A seidr i chwi,
Dewch i mewn
Chwi gewch 'i brofi.

TIE: CM [49]

Ar wal tafarn Y Tŷ Gwyrdd ger Llantarnam, Mynwy

915

Cwyd lwmp o facwn melyn bras
I mi a'r gwas a'r dyrnwr,
Ond wyau a phys gleision neis
A phwdin reis i'r teiliwr.

AWC 2816/9

916

Dicon yw dicon
O gawl cig 'idon;
Do's dim dicon i ga'l
O gawl cig iâr.

AWC 273

Morg.

917

Diolch am y te
A'r bara brith gydag e;
Te melys fel y mêl
A 'mola bach i fel y bêl.

AWC 2186/4

Ar ôl te-parti ym Mhen-boyr, Penf.

918

Diolch i Dduw
Am botes cyw.

AWC

Dywediad yng Nglyn Ceiriog pan fydd rhywbeth wedi troi
am y gorau.

919

Dir caton pawb
A dou getyn pib,
Ma'n well gen i dwmplins
Na dim yn y byd.

Y Darian (1925) 16 Ebrill

920

Dou wy a bara llechwan*
A lla'th yn llawn o 'ufan,
A brithyll braf o afon Nedd
A fydd yn wledd it, Morgan.

A chwlff o gaws Caerffili
Rwy'n siŵr fai'n faethlon iti,
Ac os y bwyty'r rhain i gyd
Fe fyddi hyd at hollti.

LlGC (DRP) 58

*Bara llechfaen – bara wedi ei bobi ar radell neu faen

921

Fy llond o gwrw wrth dy fodd
A wna 'mherchennog iti'n rhodd
Os yfi'r cwbl ar ryw hynt
Yn rhwydd mewn llaw, heb gymryd gwynt.

M ap D: ETC 32

Pennill wedi ei gerfio ar Chwart Mawr Beddgelert, llestr piwtar a
ddaliai ddau gwart, ac a ddefnyddid mewn ymrysonfeydd yfed.
Cedwir ef heddiw yn Swydd Gaint gan ddisgynyddion teulu a gadwai
westy'r *Goat* ym Meddgelert gynt. Gw. *Golwg* 15 Ionawr 2004.

922

Does dim fel te mewn gwlad a thre
Am ddifa hen gwerylon,
Ac os yw'n dda, fe lawenha
Lygad, wyneb a chalon.

AWC 3422/6

Tregaron, Cered. 'Arferai John James adrodd y pennill wrth
dorri mawn ar Bumlumon.'

923

Dynion cryfion oedd y Cymry
Gynt a welwyd yn ein gwlad,
Dynion cryf â'u traed i fyny
A gwroniaid yn y gad.

Uwd a llaeth a llymru,
Bara haidd a griwel tew,
Dyna fwyd y Cymry,
Dyna'u gwnaeth yn Gymry glew.

DT

Brynherbert, Cered.

924

Eich cig sy'n dda a ninnau'n dlawd
A'n boliau'n wag o hyd;
Cawn eto lwdn yma'n llon
'R ôl bwyta hwn i gyd.

CM

925

Eitha peth yw pryd o de
Melys, melys, melys,
Er cael calon dyn i'w lle'n
Drefnus, drefnus, drefnus.
Yfwch de, hen Gymry llon
Yn hwylus, hwylus, hwylus.

AWC

Nefyn, Caern.; Tregeiriog, Dinb.

926

Hei diri diri, poten yn berwi,
Shini a Shoni yn hela tân deni;
Eu mam yn 'i phupro â phupur a fflŵr,
'Chydig o la'th a llawer o ddŵr.

Y Darian (1925) 19 Chwefror

927

Hen fodryb Cadi Rondo
Yn gwneud uwd bob nos,
Yn cario dŵr budr
Mewn piser o'r ffos.

Roedd ynddo ambell benbwl
Ac amryw dusw o flew,
Dyna sut yr oedd hi
Yn gwneud yr uwd mor dew.

Ff a Th 12, 26

Yr un hanes a geir mewn fersiwn o Landanwg, Meir.:

Hen ferch o'r Felinheli
Yn berwi uwd bob nos
A morwyn newydd ganddi
Yn cario'r dŵr o'r ffos.
Weithiau byddai'n denau,
Dro arall byddai'n dew,
Ambell i benbwl ynddo
A llawer iawn o flew.

928

Llaeth a menyn dewch i'r bwrdd,
Te a choffi, ewch i ffwrdd.

AWC 2186/40

Glanrafon, Meir.

929

Llaeth ac ŷd,
Goreuon y byd.

Cymru lxx (1926), 114

930

Llaeth yr afr, hwnnw'n hallt
Sydd yn dda i dyfu gwallt;
Llaeth y gaseg wedi'i ferwi
Sydd yn dda at fore godi.

AWC 3274/20

Cross Inn, Cered.

931

Llefrith gafr yw'r gorau,
Medd bachgen bach o'r dre;
Llefrith gafr mewn coffi,
Llefrith gafr mewn te.

AWC 2186/43

932

Mae 'ngwanc am ryw amheuthun*,
Fi geso 'ngwala o enwyn,
Mi fasa fawr i Deio'r gwas
Gael rywbryd flas y menyn.

Cymru v (1893), 119

Morg.
*Amrywiaeth, newid

933

Siôn a Siân o bobtu'r tân
Yn gwneud rhyw swper handi;
Leg o gi a *leg* o gath
A chwningen wedi drewi.

AWC 2186/83

934

Sucan blawd* ac enwyn
I fagu dyn yn rhondyn.

LlGC (Llên Gwerin Dyffryn Aman, 1907), 30
*Blawd ceirch wedi ei drwytho mewn llaeth enwyn a'i ferwi

935

Mae yma gàn a bara,
Hops a chwrw'r ffeira;
Groeso i bawb o dre a gwlad,
A dalo – delad yma.

The Cambrian (1804) 23 Mehefin
Uwchben drws siop fechan yn Llantrisant, Morg., yn y cyfnod hwnnw

936

Maidd i frecwast,
Maidd i ginio,
Maidd i swper.
Os na chaf ddiwedd ar y meiddach
Fe wna hala 'nghorff yn afiach.

Bye-gones (1903) 22 Ebrill

937

Modryb Elin Pritchard,
Rhowch tegell ar y tân
I ni gael te cyfforddus
Fel y Sul o'r bla'n;
Torth o fara peillied*
A brachdan o dorth wen,
Siwgwr ym mhob paned
A llefrith ar ei ben.

AWC
Rhosllannerchrugog
*Bara gwyn o flawd da

938

Mawr fu'r si a mawr fu'r sôn
Am y caws geir yn sir Fôn;
Gallaf innau dystio heddiw
Bydd sôn trwy'r byd am gaws Llangernyw.

Ff a Th 2
Lluniwyd pan sefydlwyd ffatri gaws yn yr ardal ar ôl y Rhyfel Mawr.

939

Os wyt am fod yn fachgen cryf
Wel, yf o gawl cig eidon,
A thoc o gaws, hyn ydyw'r boi
I roi it' fochau cochion,
A bara ceirch a sucan* lla'th –
Nid oes eu bath i ddynion.

AWC 3274/20

Cered.
*Gw. 934

940

Pe caem ni fwyd y bore
A brecwast ganol dydd
A boled fawr o fwdran*
A chinio hanner dydd,
A bara a chaws bryd godro
A bwyd wrth fynd i'r glwyd
A swper yn ddigonol,
Ni ynganem ni am fwyd.

DT

Atpar, Castellnewydd Emlyn, Cered.
*Math o lymru (bara ceirch a llaeth enwyn) tenau

941

Rhowch i'r Gwyddel gig y mochyn
Ac fe sgwrsia'n ddiddig wedyn;
Bara ceirch ac uwd a llymru –
Dyma'r bwyd i godi Cymry.

AWC

Pennant, Llan-non, Cered.

942

Talala-di, bara a chaws,
Talala-di, pwy a'i rhows?
Talala-di, gwraig y tŷ
Rows y bara 'chaws i fi.

LlGC (Llên Gwerin Sir Gaerf., 1895), 484

943

Rhython Cydweli –
Good for the belly.

LlG 40, 10

Galwad gwerthwr rhython a ymwelai â Nantgarw, Morg.
Un arall oedd:

Rhythons Pen-clawdd
Sy i gael swper mor 'awdd,
Rhythons mewn crecyn
A rhythons noethlymun,
Rhythons Pen-clawdd.

LlG ibid.

944

Te Lewis Llanrhystud
Yn awr yw y te
Sy'n curo'r te gorau
O'r Gogledd i'r De.

AWC 1852

Byddai Richard Lewis (Dic Te), Llanrhystud, Cered., yn mynd ar draws gwlad i werthu te, a'r rhigwm uchod ar y cwdyn.

945

Tato rhost a chwt yr ast
A phen brân wedi'i ferwi,
A dau lygad cath y coed
A phedair troed y wenci.

AWC 2816 / 8

Llandysul, Cered.
Ateb cellweirus i'r cwestiwn 'Beth sydd i ginio?'

946

Uwd a llaeth a llymru
A chaws ac weithiau maidd
A bara ceirch, ac ambell dro
Cael bara rhyg neu haidd.

DT

Bronnant, Cered.

947

Tatws, moron, pys a ffa,
Bobol annwyl maen nhw'n dda.

AWC 3275/14

Y Fachwen, Caern. Galwad 'John Tatws', dyn gwerthu
ffrwythau a llysiau.

948

Y gasgen fach o frandi
A ddaeth o'r Eil o' Man,
A draw ar Draeth y Crogwal*
Y golchwyd hi i'r lan

Whiw! Whaw!
Dros y claw',
Agorwyd y gasgen
Â chaib a rhaw.

Bro 10, [2]

*Traeth yng nghyffiniau Cwmtydu, Cered.

949

Yfais ddysgyl ffein o de,
Methais yfed dwy;
Licswn yn fy nghalon fach
'Se mola bach i'n fwy.

AWC 3274/49

Porthcawl

950

Yr afu a'r sgufen* a'r galon a'r gegen*
Yn ddigon o swper i bedwar ar hugen.

Y Geninen xxxiii (1915), 247

Cered. 'Ar ddiwrnod lladd mochyn fe wneid *fry* o'r afu a'r
ysgyfaint.'
*Sgufen – ysgyfaint
*Cegen – y bibell wynt, corn gwddf

951

Yr uwd a redodd
A'r llymru garlamodd.

DT

Llanfihangel-y-Creuddyn, Cered.

952

Beth gest ti ar swper neithiwr?
Barcutan llwyd o'r coed
A wenci wedi drewi
A ffwlbart naw mlwydd oed.

DT

Beulah, Castellnewydd Emlyn

953

Clywsoch sôn am gawl sir Benfro,
Poten farlys fawr oedd ynddo,
Hwnnw'n berwi dros yr ymyl –
Berwch ef yn gynnil, gynnil.

Bye-gones (1903) 22 Ebrill, 80

954

Peint a chwart a chwpan hwylus
Sydd yng nghegin Neli Morris;
Pan fo Neli Morris farw
Rhof y gorau i yfed cwrw.

CM

CALENNIG YN GYFAN

955

Blwyddyn Newydd Dda,
Gwyliau llawen i chwi,
Codwch yn fore, cynnwch y tân,
Cerwch i'r ffynnon i mofyn dŵr glân;
Llencyn bach wrth y drws
Heb un geiniog yn ei boced.

LlGC (Llên Gwerin Sir Gaerf., 1895), 101
Pontyberem, Caerf., ardal y Cocid, Abertawe. *Cymru* vi (1894), 12.

Dyma rai fersiynau eraill sy'n perthyn:

Blwyddyn Newydd Dda i chwi (dair gwaith)
Hir oes a iechyd (dair gwaith)
A roddo Duw i chwi,
O codwch a goleuwch
A hefyd cynnwch dân,
Rhowch groeso i'r flwyddyn newydd
Na welsoch 'rioed o'r bla'n.
O codwch a goleuwch
A hefyd cynnwch dân,
Rhowch groeso i'r flwyddyn newydd
Na welsoch 'rioed o'r bla'n.

ALEW 27

Blwyddyn Newydd Dda i ŵr y tŷ
A gwraig y tŷ a'r rhest o'r teulu;
Brysiwch a goliannwch
A hefyd cynnwch dân,
A groeso i'r flwyddyn newydd
Na fu erioed o'r bla'n.

LlGC (Llên Gwerin Sir Gaerf., 1895), 102

Codwch yn fore,
Cinnwch y tân,

Cerwch i'r ffynnon
I mofyn dŵr glân;
Mishtir a Mistras
A phob un trw'r tŷ,
Blwyddyn Newydd Dda i chi!

LlG 52, 14

O codwch a goleuwch
A hefyd cynnwch dân,
Rhowch barch i'r flwyddyn newydd
Na fu erioed o'r bla'n.
Blwyddyn Newydd Dda
Blwyddyn Newydd Dda
Blwyddyn Newydd Dda i chwi;
Hir oes a iechyd
Hir oes a iechyd
Rhodded Duw i ni.

DT

Aberaeron, Cered.

O codwch, cynnwch gannwyll
A hefyd cynnwch dân
I groesawu'r flwyddyn newydd
Nas gwelodd neb o'r bla'n.

Cered.

956

Blwyddyn Newydd Dda eleni
I chwi a phawb o'ch annwyl deulu;
Dymunwn ichwi yn ddiragrith
I gael eich llenwi â phob bendith.

DT

Tal-y-bont, Cered.

957

Blwyddyn Newydd Ddrwg
A llond y tŷ o fwg
Ac ysbryd drwg yn y simne.

AWC 3396/3
Llanbedr Pont Steffan, Cered. Os na fyddai croeso na chalennig.

958

Ar ddechrau blwyddyn newydd
A roddwyd gan yr Iôr
Rwy'n dod i hel calennig
Fel hyn o ddôr i ddôr;
A chofiwch chwi wrth roddi
I ddiolch am eich ffawd
Na fuasech wedi'ch geni
Fel fi yn fachgen tlawd.

AWC

959

Blwyddyn Newydd Ddrwg
A llond y tŷ o fwg,
Pen 'r hen geiliog o dan y drws,
Pen 'r hen wraig yn sitrws.

RWJ: BCC 122

Trefald. Gw. 957

960

C'lennig, c'lennig bore dydd Calan,
Nawr yw'r amser i rannu'r arian.

ALEW 227

Caeo, Caerf.

961

Ambell gybydd oddi cartre
Yn lle rhannu ei geinioge;
[Llall] yn llechu yn ei gaban,
Gwneud ei gilwg ar ddydd Calan.

Rhew ac eira sy'n bur oeredd,
Yr awel fain pan ddaw o'r gogledd;
Ninnau goeliwn gyda'n gilydd
Mai oerach peth yw calon cybydd.

Cymru xi (1896) [69]

Tal-y-bont, Cered. Pennill a genid pan na fyddai croeso na chalennig.

962

Blwyddyn Newydd Dda ichi bob un trwy'r tŷ.
Rhowch galennig yn galonnog
I blant bach sydd heb un geiniog;
Ceiniog ne' ddime, p'un a fynnoch chithe.
Ceiniog sy ore.
Blwyddyn Newydd Dda i chi.

ALEW 226

Rhydwilym, Penf.

963

Blwyddyn Newydd Dda i chwi,
A blwyddyn hapus iawn,
A'r nefoedd a'ch bendithio chwi,
A'r cwpwrdd bwyd yn llawn.

DT

Llechryd, Cered.

964

Calennig yn gynnar
Ar fore dydd Calan,
Unwaith, dwywaith, tair.

Ffair-rhos, Cered.

965

Blwyddyn newydd wedi gwawrio,
A dymuno i ni eto
Boed pob llwyddiant yn eich dilyn
A phopeth da ar hyd y flwyddyn;
Gobeithio yn *nineteen forty four*
Bydd heddwch dros y tir a'r môr,
Ac elo'r byd i gyd mewn trefn
Ac na foed rhyfel byth drachefn.

AWC

Llandysul, Cered. Pennill a gyfansoddwyd yn arbennig,
fe ymddengys, adeg yr Ail Ryfel Byd.

966

Calennig i fi,
Calennig i mam,
Calennig i modryb
Am bod hi mor gam.

Y Geninen xxxiii (1915), 250

Cered.

967

Calennig i fi,
Calennig i ti,
Calennig i 'nhad
Am saethu'r ci.

AWC 2186/6

Llangollen

968

C'lennig a ch'lennig
A byddwch yn g'lonnog;
Dyma fachgen bach tlawd
Heb ddime na cheiniog.
Bwyd a diod
Ac arian yn barod;
Blwyddyn Newydd Dda
I chwi sy'n deulu da.
Os gwelwch chwi'n dda ga'i geiniog?

AWC (Tâp 3914)

Llanwddyn, Trefald.

969

Blwyddyn Newydd Dda i chwi
Ac i bawb sydd yn y tŷ,
Dyna yw'n dymuniad ni
Ar ddechre'r flwyddyn hon.

Gogledd Cered. Weithiau ailadroddid y llinell gyntaf yn lle'r
bedwaredd linell uchod.

970

Calennig i'r meistr,
Calennig i'r gwas,
Calennig i'r forwyn
Sy'n byw yn y plas;
Calennig i'r gŵr,
Calennig i'r wraig,
Calennig o arian
I bob ysgolhaig.

AWC 3422/6

Tregaron, Cered.

971

Calennig wyf yn mofyn
Ddydd Calan ddechrau'r flwyddyn,
A bendith byth fo yn eich tŷ
Os tycia im gael tocyn.

EI: CC 180

Cered.

972

Calennig yn galonnog
Gan obeithio cewch gynhaeaf toreithiog;
Ceirch a barlys, rhyg a gwenith,
Shiprys* ddigon, tato gwynion,
Diolch yn fawr am eich rhoddion.

AWC 1737/8

Cribyn, Cered.

*Siprys, cymysgedd o haidd a cheirch a heuir ynghyd

973

Calennig yn gyfan
Ar fore dydd Calan;
Bwyd a diod
Ac arian yn barod.
Blwyddyn Newydd Dda i chwi.

Bye-gones (1873), 127

974

Calennig yn gynnar ar fore dydd Calan,
Unwaith, dwywaith, tair;
Cwpanaid o ddiod a'i dwymo fo'n galed
A wnaiff imi gerdded yn glau.
Gŵr y tŷ a'r teulu da,
A welwch chwi'n dda roi C'lennig?

Bye-gones (1900), 274

975

Calennig yn gyfan
Drannoeth y Calan;
Y Calan aeth heibio
Pan nad own yn cofio.

DT

Llanwenog, Cered.

976

Chwychwi y bobl fawrion
A chryfion yn y byd,
A ninnau blant tylodion,
Cawn heddiw gwrdd ynghyd
I mofyn am elusen
A'n hangen ni sy'n bod,
Gobeithio gwnewch gyfrannu,
Bydd hynny er eich clod.

AWC 1737/8

Cribyn, Cered.

977

Dydd Calan yw hi heddi, ontê? ontê?
Peidiwch rhoi dim i blant y dre,
Na phlant Cwm-cou na phlant Dre-wen
Ond plant Joni Bach o'r Stafell-wen.

DT

Atpar, Castellnewydd Emlyn, Cered;
Aber-banc, Orllwyn Teifi, Cered.

978

Deffrowch, ben teili,
Dwma flwyddyn newi
Wedi dŵad adre
O fiwn ein drwse,
Drwse yng nghâ
Ynghlo dros nos.
Drwy'r baw a thrwy llaca
Daethon ni ima,
Drwy'r eithin weithe
Dan bigo'n coese,
Dima'n bwriad ninne,
Mofyn bobo ddime,
Bwriad trwy gariad
Rhoddwch heb gennad,
Paste nas torrwch,
Cwrw nas sbariwch,
Plant ifanc i ni,
Gollingwch ni'r tŷ,
Gollingwch ni'n gloi
'Te tima ni'n ffoi.

ELIW: CSB ii. 74
Cân plant Cwm Gwaun ar Hen Ddydd Calan. Am fersiwn
tebyg o Lanychâr, Penf., gw. ALEW 226.

979

Rwy'n dod yn hy at ddrws eich tŷ
I ofyn am galennig,
A pheidiwch chwi bod yn hir yn dod
A rhowch yn deg a diddig.

Gyfeillion cu oedd gyda ni
Ar ddechrau yr hen flwyddyn,
Maent heddiw'n gorwedd yn dawel iawn
O sŵn caniadau'r dyffryn.
Blwyddyn Newydd Dda (tair gwaith).

ALEW 231
Pren-gwyn, Llandysul, Cered.

251

980

Dydd Calan yw hi heddi,
Gwnewch gofio'r dyn tylawd;
Mae'r bara bron dibennu
A chydig sydd o flawd.
A chi sy'n byw fan yma
Ag arian lond y tŷ,
Gobeithio gwnewch gyfrannu
Rhyw geiniog fach i ni.

AWC 173/8

Cribyn, Cered.

981

Dydd Calan yw hi heddi, rwy'n dyfod ar eich traws
I mofyn am y geiniog neu doc o fara a chaws;
Ond gwell gen i y geiniog i fynd i ffair New Inn
I brynu cacs a 'fale nes bo 'mola bach i'n dynn.

TIE: CC 88

Cered. Yn EI: CC 180 ceir y pedair llinell olaf fel hyn:
Ewch at y drws yn serchog
Heb newid dim o'ch gwedd;
Cyn daw dydd Calan eto
Bydd llawer yn y bedd.

982

Fy ngh'lennig i'n gyfan
Ar fore dydd Calan,
Bwyd a dillad ac arian parod,
Blwyddyn Newydd Dda i chwi.

AWC 1141

983

'Ngh'lennig i, 'ngh'lennig i,
Blwyddyn Newydd Dda
Meistr a Meistres,
Os gwelwch yn dda.

AWC 2186/9

984

Fe ddaethom eleni eto
Fel hyn at ddrws eich tŷ
I ofyn am galennig,
Ac yna ffwrdd â ni.
Boed ichwi bob daioni
Drwy'r flwyddyn ar ei hyd,
Waeth i chwi i gyd fel teulu
Y gorau yn y byd.
Blwyddyn Newydd Dda!

AWC 3711/2

Llandysul, Cered.

985

Dyma flwyddyn newydd eto
Wedi gwawrio arnom ni,
Llawer llynedd rowd i orwedd
Yn y ddaear ddistaw ddu.
Llawer 'leni rhaid mynd eto
I breswylio'r eilfyd maith,
Felly ninnau wedi'n rhifo –
Arglwydd dyro fodd i'r daith.

AWC 2186/4

Pen-boyr, Penf.

986

Dyma ni yn dywad
I ofyn am eich cennad
I roddi i chwi ganiad
Ar ddechre'r flwyddyn hon.
Codwch lawr o'ch gwely,
Agorwch eich seleri,
A thra bod ninne'n canu
'Blwyddyn Newydd Dda!'

LlGC (Llên Gwerin Sir Gaerf., 1895), 102

Cross Hands, Caerf.

987

Dyma'r Calan wedi gwawrio,
Dydd tra hynod, dydd i'w gofio;
Dydd i rannu, dydd i dderbyn
Ydyw'r cyntaf yn y flwyddyn.
Chwi sy'n meddu aur ac arian,
Dedwydd ydych ar Ddydd Calan;
Braint ar 'rhain yw rhoi i'r tlodion
A chyfrannu peth o'u moddion.
Rhai sydd â chyfoeth ac a'i ceidw,
Nid oes lwyddiant i'r dyn hwnnw;
Neb a geidw pob rhyw geiniog
Sydd yn casglu i'r gosb ysog.
Am eich rhoddion drwy'r blynyddau
R'ym yn diolch o'n calonnau;
Buoch yn enwog am gyfrannu,
Na ddiffygiwch eto 'leni.

AWC

Tal-y-bont, Cered.

988

Dyma'r dydd Calan, cofiwch y dydd,
Rhoddwch galennig o'ch poced yn rhydd;
Dydd cyntaf y flwyddyn os rhoddwch yn hael
Daw bendith ar bob dydd i chithe'n ddi-ffael.

AWC 2186/6

Llanfachreth, Meir.

989

Mae'r flwyddyn newydd wedi dod,
Y flwyddyn ore fu erio'd.
Wel dyma'r flwyddyn newydd,
Wel dyma'r flwyddyn newydd,
Wel dyma'r flwyddyn newydd
A Blwyddyn Newydd Dda.

Caerf.

990

Gwrandewch ar fy nhestun,
Pan ddechreuodd y flwyddyn,
Pan darodd hi ddeuddeg o'r gloch,
Pob hwyl i chi ddynion
A merched a meibion
A defaid a gwartheg a moch.
Fy neges arbennig yw mofyn calennig
Wrth fyned o amgylch eich tai;
Ceiniog rwy'n derbyn
Y mwya cyffredin
A cheiniog a dime gan rai.

HMJ: BFM 78

Trefald. Cyfansoddwyd yn arbennig ar gyfer plant ardal
Llanerfyl i'w ganu neu ei adrodd.

991

Mae'r flwyddyn newydd wedi dod;
Er mwyn cael gwledda gyda chwi
Mae'n bryd i ni seinio'i chlod.
O, codwch ein cyfeillion (tair gwaith)
I agor y drws i ni.

ALEW 229

Brynberian, Penf.

992

Mae'r flwyddyn wedi mynd,
Ni ddaw hi byth yn ôl;
Mae wedi mynd â llawer ffrind
Yn gynnes yn ei chôl,
Yn gynnes yn ei chôl,
Yn gynnes yn ei chôl;
Mae wedi mynd â llawer ffrind
Yn gynnes yn ei chôl.

AWC (Tâp 2631)

Dyffryn Aeron, Cered.

993

Mae blwyddyn eto wedi mynd,
Wedi mynd, na ddaw hi byth yn ôl;
Mae wedi mynd, mae wedi mynd,
A 'ngadael i ar ôl.

DT
Llanfihangel-y-Creuddyn, Cered.

994

Mae'n fore calennig, mae'n fore calonnog
A phlant bach yn dyfod a'u dillad yn dyllog;
Mae winthrew* amhosib ar flaene eu byse'
A'u gwinedd bron codi wrth gydio'n y cyde.

JIJ: HHG 10
Cered.
*Ewinrhew, 'frost-bite'

995

Mi godais heddiw'n fore
I ddyfod at eich tai
I mofyn am chwecheiniog
A chymryd hyn sy'n llai.
Gobeithio caf fynd adref
Yn llawen er fy lles
A'r pwrs yn llawn o arian
A bara 'chaws a phres.

AWC 2186/11
Cered. Diolchaf i Huw Ceiriog am yr amrywiad yma o Lyn Ceiriog:

Mi godais heddiw'r bore
I ddyfod at y tai
I ofyn am y geiniog
Neu gymryd be sy lai.
Ac yna caf fynd adre
Yn llawen iawn fy lle
A llond fy mhwrs o arian
A bara 'chaws a the.

Sylwer ar 'chwecheiniog' a 'phres' y Cardi!

996

Mi godais heddiw ma's o'm tŷ
A'm cwd a'm pastwn gyda mi,
A dyma 'neges ar eich traws
Sef llanw'r cwd â bara a chaws.

EI: CC 180

Gogledd Cered.

997

Nid dod yma ar draws y caie
I hel pethe yn ein bolie
Ond hela pres i'r boced fach,
Dwi ddim hanner iach ers dyddie.

Bye-gones (1900), 274
'Gwell gan blant gael arian na danteithion ar ddydd Calan.'

998

Mi godais yn fore, mi gerddais yn ffyrnig
I dŷ Mrs [Jones] i mofyn calennig;
Os gwelwch ar eich calon roi swllt neu chwecheiniog,
Ond blwyddyn dda gaffoch am ddimai neu geiniog.

DT

Cwmpadarn, Llanbadarn Fawr, Cered. Dull plant Aberaeron o
orffen y pennill oedd:

Yr oeddwn yn meddwl cawn swllt neu chwecheiniog
Ond nawr rwy'n bodloni ar ddimai neu geiniog.

DT

999

Mi godais heddiw'n fore o bentre bach Pren-gwyn
I ofyn am Galennig cael towlu'r flwyddyn hyn.
Rwy'n mynd i wasanaethu pan ddelo dechrau haf;
Cewch lonydd ar ôl 'leni, o rhowch galennig braf.
Blwyddyn Newydd Dda.

ALEW 230

Pren-gwyn, Llandysul, Cered.

1000

O dewch â chalennig, gyfeillion caredig,
A rowch chwi galennig yn ddiddig heb ddannod?
Does gen i ddim gartre, na dim cwrw gwylie,
Rhowch ran o'ch barile ddwarnod.

AWC
Cwm Gwaun, Penf.; Dyffryn Cletwr, Cered. (LlG 3, 12)

1001

O dyma ni yn awr yn dod
I ganu clod yn llon,
I chwi sydd yma yn y tŷ
Ar ddechrau'r flwyddyn hon.
Blwyddyn Newydd Dda i chwi
Ac i bawb sydd yn y tŷ,
Dyna yw 'nymuniad i,
Blwyddyn Newydd Dda i chwi.

ALEW 228
Caeo, Caerf.

1002

O un galon gyda'n gilydd
Fe ddymunwn bob llawenydd
Yn awr i ŵr a gwraig y tŷ
Ar ddechrau'r flwyddyn newydd.
O rhoddwch heddiw'n serchog
Galennig yn galonnog,
Ac er mor dlawd yw 'nhad a mam
Mi ganaf am y geiniog.

DT
Llangynllo, Cered.

1003

'Y ngh'lennig i, 'y ngh'lennig i,
Blwyddyn Newydd Dda i chwi.

LlGC (Gwenith Gwyn) 236, 181
Dyffryn Ceiriog

1004

Rhanna, rhanna, hwnt ac yma,
Rhan i fi a rhan i'r ffon,
Rhan i fyta ar y ffordd,
Rhan i mam ar ôl mynd adre,
Rhan i 'nhad am dapo sgidie,
Rhanna, rhanna hwnt ac yma,
Pic* i fi a phic i'r ffon,
Pic i 'nhad a mam sy gartre
Yn gofalu am y moch a'r gwydde.

Ardal Cydweli, Caerf.
*Teisen.
Ceir cyfeiriad at rannu pethau mewn fersiynau eraill hefyd:

Blwyddyn Newydd Dde i chi,
'Sgwlwch yn dde roi clennig;
Shêr i fi a shêr i Mam
A shêr i gwmboneddig.
Shêr i 'Nêd am wella sgitsha
A shêr i Mam am wella sana.

MW: BIBC 56

Calennig i mi, calennig i'r ffon,
Calennig i'w fwyta y flwyddyn hon,
Calennig i 'nhad am fendio sgidie,
Calennig i mam am gweirio sane.

DJE: HCS 126
Cered.

Os gwelwch yn dda ga'i g'lennig?
Siâr i 'nhad a siâr i mam,
A siâr i'r gŵr bonheddig.

LlGC (Llên Gwerin Sir Gaerf., 1895), 10

Rhanna, rhanna yn ddwbwl ddyrneidie,
Rhan i 'nhad am gweirio sgidie,
Rhan i mam am gweirio sane
A rhan i'r ffon am aros gartre.

Bye-gones (1897), 207
Llandyfaelog, Caerf. 'Cân plant tlawd a hen wragedd'.

259

1005

Plant bach Cymru ydym ni
Yn canu ein carolau;
Peidiwch chwi â gyrru ci
I redeg ar ein holau.
Blwyddyn Newydd Dda i chwi
A phawb o'r teulu serchog;
Dewch, benteulu, atom ni
A rhowch i ni geiniog.

ALEW 228

Caerf.

1006

Rhowch galennig yn galonnog
I rai gwan sydd heb un geiniog;
Hynny rowch, rhowch yn ddiddig,
Peidiwch grwgnach am ychydig.
Gyda chwi mae helmi mawrion,
Gyda chwi mae gwartheg blithion;
O's 'da mam ddim un o'r rheiny
Ond lot o blant yn cael eu magu.

DT

Atpar, Castellnewydd Emlyn, Cered.

CREFYDD AC ENWADAETH: Y LLON A'R LLEDDF

'EMYNAU' GWERIN

1007

Angau, angau, beth dâl gwingo?
Ti sydd ben ar fryn a bro;
Fe ddest heibio'r ardal yma
Fel concwerwr ar ei dro.
Rhaid pob oedran fynd i'r graean,
Rhaid i'r baban fynd i'r bedd;
Afon fawr yw afon ange,
Rhaid mynd trwyddi cyn mynd adre',
Môr yn berwi, creigiau'n hollti,
Â'r haul yn gwisgo mwrnin du.

Y Brython (1926) 21 Hydref, 4
Clywid gan wraig a hanai o Gwmystwyth, Cered.

1008

Daeth anghrediniaeth ataf
A chlamp o bastwn mawr,
Tarawodd fi'n fy nhalcen
Nes own i'n powlio lawr.
Tarewais anghrediniaeth,
Rhois iddo farwol glwy,
A rhedodd yntau ymaith
Na weles mono mwy.

Y Drysorfa (1952), 101
'Emyn' a roddwyd allan i'w ganu mewn cyfarfod gweddi
noson waith ym Mhenisa'r-waun, Caern., 1860.

1009

Anghysur sy'n y teulu hwn,
Yr hen frawd Stephen dan ei bwn,
A'r hen wraig Neli sydd yn sâl
Yn methu'n deg â dod o'i gwâl.

The Welsh Gazette (1902) 23 Ionawr
'Emyn' a lediwyd mewn cyfarfod gweddi yng nghartref
Stephen a Neli, Wernarw, Llanddewibrefi, Cered., pan oedd
Neli'n ei gwely'n sâl.

1010

Ar Galfaria un prynhawn
Tâl yr Iesu'n berffaith iawn;
Dan yr hoelion meinion, llymion,
Talodd filiau'r nef yn llawn.

AWC

Blaen-y-coed, Caerf.

1011

Arglwydd grasol, rwyt yn rhoi
Bara beunydd i ni gnoi,
Ac os daeth gwlypin* ar yr ŷd
Ti roest y tatws i ni i gyd.

Y Darian (1931) 30 Ebrill
'Pennill a ganwyd tua 50 mlynedd yn ôl mewn cwrdd
diolchgarwch yn ymyl Sain Ffagan, Morg.'
*Ysbaid hir o dywydd gwlyb

1012

Ceffyl pren* sydd imi'n gymwys,
Ar ei bedair troed mae'n gorffwys,
Dim ond pedwar o'm ffrins nesa'
Ddaw at y drws i 'nghwnnu'n gynta',
A chrys gwyn yn dynn amdana'
A mynd tua'r bedd a'm traed ymlaena'.

CA ii (1882), 244

Emyn wrth godi angladd
*Yr elor

1013

Y defaid gwynion a'r traed glân
Sy'n pori 'mysg yr eithin mân,
A'r gaseg wen a'r pilyn brith
Sydd fel apostol yn eu plith.

Y Geninen (1895), [223]
Lediwyd yr 'emyn' hwn mewn cyfarfod ym Môn yn ôl
Cynddelw (Robert Ellis 1812–75).

1014

Draw ar gopa Bryn Golgotha
Bu'r ymladdfa fwya rio'd;
Yr Oen heb gledda' na grym arfa'
Yn sathru grugia' dan ei dro'd.
Fe mewn lluddad blin a sychad
Yn gorchfygu uffern lu;
Eto ffynnon dan ei galon
I olchi yn wyn yr Ethiop du.

LlGC (Wb 8410)
Wedi ei ysgrifennu ar ddalen wag mewn copi o *Y Rhyfel
Ysbrydol*, Daniel Rowland, yn y Llyfrgell Genedlaethol.

1015

Cawd, cawd
Fendithion fyrdd o'r cafan blawd
Wrth wrando ar ein hannwyl frawd,
Ac nid Duw tlawd mo Brenin ne',
Rhoed pawb o'u calon iddo'r clod,
Mae'n medru dod i bob rhyw le.

LlGC (Col 1739)

Ceir y pennill mewn llawysgrif ar ddalen wag mewn copi o
*Cyfansoddiad a Chyffes Ffydd y Corff o Fethodistiaid Cymreig . . .
1850*, ynghyd â'r nodyn, 'Hen chwaer a gyfansoddodd y pennill
uchod wrth wrando ar Richards, Caernarfon, yn pregethu yn y
Felin, Fron-goch ger y Bala' (*c*.1852–53).
    Yn *Y Drysorfa* (1952), 100, mae D. Tecwyn Evans yn dal mai
pennill yw a glywodd rhywun gan bregethwr 'mewn oedfa awyr-
agored yn sir Gaerfyrddin, a chafn blawd y felin yn bulpud iddo'.

1016

Dewisodd Lot le braf,
Cadd boenau enaid byw,
Ond gwell gan Abram oedd
Pen mynydd gyda Duw.

GJ: PBBFW 58

1017

Diolch i ti, o Arglwydd Dduw,
Am borthi'r brain a phopeth byw;
A'r Hwn a'u porthodd hwy cyhyd
A'n gwnelo ninnau'n frain i gyd.

Y Brython (1923) 1 Tachwedd, 7
'Emyn' cynhaeaf i'w ganu ar yr Hen Ganfed. Meddai Meilyr
Wyn o Brestatyn wrth gofnodi'r uchod, 'Perthyn iddynt
[emynau gwerin] ryw bertrwydd neilltuol. Bu y cyfryw o
wasanaeth mawr yn niffyg eu gwell yn y gorffennol.'

1018

Duw, rho imi gledd yr Ysbryd
A chanon gweddi'r ffydd,
A helm yr Iachawdwriaeth –
Rwy'n credu caf fi'r dydd;
Bwledi o fân ochneidiau
A phowdwr gorau'i ryw
A sicrwydd diamheuol,
A thân o gariad Duw.

Porfeydd (1970)

1019

Fe'm cleddir innau maes o law
 chaib a rhaw a phicis;
Os na chaf nabod Crist yn frawd
Fe fydd yn dlawd echrydus.

CS: CCA 21
Blaen-y-coed, Caerf.

1020

Dyma wraig yn myned bant,
Gadael mae ei gŵr a'i phlant;
Baban bychan yn ei cho'l,
Gadael pawb o'i ffrins ar ôl.

AWC 1793/514

Pennill a roddwyd allan wrth godi corff Ann Humphreys yr
Hendy, Llanafan Fawr, Brych., a fu farw c.1857 ar enedigaeth
plentyn. Claddwyd y plentyn yn yr un arch.

1021

Dywedodd anghrediniaeth
Do wrthyf lawer gwaith
Am beidio blino'r Athro
Mai ofer fyddai'r gwaith.
Af at ei orsedd eto
Er dued yw fy lliw;
Pwy ŵyr na chaf drugaredd?
Un rhyfedd iawn yw Duw.

Cymru (1912), 110

1022

Grwn heb hau yw colli ysgol,
Grwn heb hau yw colli'r cwrdd,
Grwn na cheir dim oddi wrtho
Pan yr awn o'r byd i ffwrdd.

DT

Glynarthen, Cered.

1023

O blant ac wyrion, gwelwch fi
Mewn amwisg wen a choffin du,
Ar elor bren ddaeth i fy nôl –
Ffarwél gyfeillion call a ffôl.

DT

Llanddewibrefi, Cered.

1024

Er cymaint gŵr oedd Moses,
Mae'r Iesu'n fwy, medd Duw;
Mae Moses wedi marw,
Mae Iesu eto'n fyw.
Ni welais neb mor fedrus
Ag Iesu i drin fy nghlwy',
A chan ei fod 'fath feddyg
Ffarwél i Moses mwy.

Y Brython (1924) 11 Rhagfyr

Clywodd Hugh Evans (awdur *Cwm Eithin*) am hen ŵr yn
ledio hwn ar ôl gwrando ar bregeth am Foses.

1025

O codwch fi, fy mhedwar ffrind,
O'r tŷ i'r bedd sydd raid im fynd,
A rhowch fy nghorff mewn daear lawr
Hyd fore'r Atgyfodiad mawr.

CS: CCA 29

1026

Fy enaid bach a hedws at ddrws yr eglwys wen,
Ac yno fe a safws a gwaeddws nerth ei ben:
'O gorff, a wyt ti'n cysgu a finnau mewn fath bo'n?
Gwae i mi gael fy rhoddi erioed rhwng cig a chro'n.'

The Cambrian ii (1882), 252

Cylchgrawn Saesneg ei iaith a gyhoeddid yn America oedd *The
Cambrian* a cheir y nodyn canlynol i gyd-fynd â'r pennill: *At a
Prayer Meeting in a little mission chapel in the city of C—, old
brother D— was called upon to give out a hymn and lead in prayer.
Brother D— began to line from memory (according to the old Welsh
custom) the following queer hymn – as he supposed* [y pennill yn
dilyn]. *The last word was scarcely spoken when he was arrested by
another old brother – a little more enlightened, and a little less pious,
with the words, 'Ble ddiawl cest ti'r fath bennill â hwnna?' 'Be
yw'r mater arno rho wybod?' says bro. D— 'Glywes i hwnna yn
cael 'i ganu ganwaith yn sir Aberteifi yco, pan own i'n fachgen.'*

1027

Fe ganws y ceiliog,
Fe dorrws y wawr,
Mae'n bryd i ni gychwyn,
Mae'r siwrne yn fawr.
Mae milwyr y Brenin
Ymhell yn y bla'n,
Canlynwyr yr Iesu
Trwy ddwfwr a thân.

Y Brython (1923) 15 Tachwedd, 4

1028

Gall angau ddringo creigiau,
Gall rodio brig y don,
Mae'n dangos ei lywodraeth
Trwy eitha'r byd o'r bron.
Ond Moses ac Elias
A neidiodd dros y lein;
Mae angau'n ffaelu gwybod
Pa ffordd yr aeth y rhein.

Porfeydd (1970)

1029

Siwrne eto dewch am dro
Rownd abowt i Jericô;
Pwy a ŵyr nad dyma'r awr
Y cwympiff bart o'r wal i lawr.

Y Brython (1923) 25 Hydref, 5

Ychwanegir y sylw, 'Pan nad oedd llyfrau hymnau mewn bri
yn eglwysi'r wlad clywais i hen ŵr roddi'r pennill hwn allan.'
Amrywiad arno yw:

Wel unwaith eto ni rown dro
O amgylch caerau Jericô;
Er uched yw ei muriau mawr
Yn amser Duw hwy ddônt i lawr.

LlGC (Amryw Caerdydd) W2.3342

267

1030

Haws i aderyn egwan
Gario'r Andes yn ei big,
Llawer haws i'r brithyll bychan
Lyncu Môr y De mewn dig,
Haws a fyddai i'r morgrugyn
Wthio'r Alps o'i flaen i'r môr
Nag i ddyfais dyn na diafol
I ddymchwelyd arfaeth Iôr.

Porfeydd (1970)

1031

Mae plant y byd yn dweud ar go'dd
Mai meddw wyf neu ma's o 'nghof;
Os meddw wyf nid rhyfedd yw –
Meddw ar win o seler Duw.

CM 801 (toriad papur)
Canwyd ym Meddycoedwr ger Trawsfynydd, meddir, pan
argyhoeddwyd Williams o'r Wern (William Williams 1781–1840)
yno o dan weinidogaeth Rhys Davies ('Y Glun Bren' 1772–1847).

1032

Mari fach a gerddodd
Er byrred oedd ei cham,
Yn mynd i gôl yr Angau
A gadael côl ei mam;
A dagre'n llanw'n lliged
Wrth weld ei dillad bach,
Mae'n hannwl blentyn Mari
Yn canu heddiw'n iach.

AWC (Tâp 3886)
Argraffwyd ar gerdyn angladd plentyn o ardal Mynydd
Cerrig, Dre-fach, y Tymbl. Cofnodwyd amrywiad ar y pedair
llinell gyntaf yn ardal Aber-banc, Orllwyn Teifi, Cered:
    Mari fach o gartre
    Yn ffaelu cered cam,
    A'th i gôl yr Iesu
    Gan adel côl ei mam.

1033

Melys ydoedd gwledd Belsasar,
Gwledd a gwin yn goch ei liw;
Gyda'i wraig a'i ordderchadon,
Llestri aur o demel Duw.
'Mene Tecel' ar y pared
Wnaeth i'w liniau guro 'nghyd;
Fe fydd myrdd yn crynu felly
Pan ddêl Crist i farnu'r byd.

Yr Herald Cymraeg (1930) 8 Ebrill

1034

Mewn coffin cul o bren ca'i fod
Heb allu symud llaw na thro'd;
Fy nghorff yn llawn o bryfed byw
A'm henaid bach lle mynno Duw.

LlG 13, 16

1035

O hen ac ieuainc, bach a mawr,
Sy'n mynd i roi fy nghorff i lawr;
Ar hyd y ffordd myfyriwch chwi
Pwy nesa roir mewn coffin du.

LlGC (Gwenith Gwyn) 701

1036

Rwyf wedi newid meistr,
Ces feistr gwell yn awr;
Ces ernes wrth gyflogi
Mil gwell na daear lawr.
Yr hen oedd yn fy 'sbeilio
Ond rhoi mae hwn o hyd;
Os bydda i'n ffyddlon iddo
Caf gyflog da ryw ddydd.

Yr Herald Cymraeg (1930) 4 Ebrill

'Emyn' yr oedd cryn fynd arno yn ochrau Llŷn adeg y Diwygiad.

1037

Rhodiwn Flaena', rhodiwn Fro,
Ni ŵyr undyn beth o'i dro.
Rhodiwn Fro a rhodiwn Flaena',
Gwaelod bedd yw pen y siwrna'.

LlGC (Wb 8410)
Cofnodwyd gan Lewis Joens [sic], Pen-y-bont, Morgannwg, 1770
ar dudalen wag mewn copi o *Y Rhyfel Ysbrydol*, Daniel Rowland,
yn y Llyfrgell Genedlaethol.

1038

Yn y cawell brwyn cawd Moses,
Yn yr ynys wrth y dŵr;
Mewn ffwrn o dân cawd llanciau'r gaethglud,
Dyna waredigaeth siŵr.
Ac fe gaewyd safnau'r llewod
Cyn i Daniel fynd i lawr,
A chyn taflu Jona i'r dyfnder
Darparodd Duw bysgodyn mawr.

DT
Bronnant, Cered.

YR ENWADAU

1039

Annibynwyr, annibendod
Mynd i'r capel heb un adnod;
Methodistiaid creulon cas
Mynd i'r capel heb ddim gras;
Hen eglwyswyr eitha *soft*
Codi capel heb un lofft;
A'r Sosiniaid, o mor drist,
Yn gwadu Duwdod Iesu Grist.

AWC 2186/14
Cered.

1040

Annibynwyr creulon cras
Yn mynd i'r capel heb un gras;
Malwoden fach yn cerdded wal,
Yr hen Annibynwyr yn methu â'i dal.
Os na wnânt hast i'w dala'n glou
Cânt fynd i uffern bob yn ddou.

AWC

Llanrhystud, Cered.

1041

Annibynwyr
Heb ddim synnwyr.

Ar lafar, gogledd Cered.

1042

Annibynwyr penna' cam
Boddi'u hunain mewn pot jam.

GT/MJ: ADP 85

Eifionydd, Caern.

1043

Baptist y dŵr
Yn meddwl yn siŵr
Does neb yn y nefoedd
Ond Baptist y dŵr.

Ar lafar

1044

Batus y dŵr
Yn meddwl yn siŵr
Na chaiff neb fynd i'r nefoedd
Ond y nhw.

LlG 17, 23

Y llinell olaf weithiau yw 'Heb fynd trwy'r dŵr' neu 'Heb
gael trochiad o'r dŵr'.

1045

Beth ddeuai o'r Bedyddwyr
Pe peidiai'r dŵr yn lân
A hithau'n methu glawio
Am dair blynedd fel o'r bla'n?
O am grefydd
Na bo'i sylfaen yn y dŵr.

AWC (Tâp 5841)

Morg.

1046

Bwrw, bwrw dim ond bwrw
Mae hi beunydd yng Nghwmgarw;
Rhaid cael Baptis rhonc, mi dynga,
I fyw a bod yn ddedwydd yma.

Y Darian (1918) 18 Gorffennaf

1047

Capal Batus gwirion gam
Yn ordro fi i guro mam,
A finnau'n hogyn bach mor ffôl
Yn curo mam efo troed y stôl.

AWC (Tâp 3915)

Cofiai Serah Trenholme blant Nefyn yn gweiddi'r rhigwm
ar ôl plant eraill a fyddai'n mynychu Capel y Fron yno,
sef capel y Bedyddwyr. Rhigwm arall am yr un capel oedd:

Capel y Fron
Newydd sbon.

Nid yw'r capel yno bellach. Am Gapel Soar yr Annibynwyr
yn Nefyn adroddid y cwpled hwn:

Capel Soar yn sorri,
Merched bach yn pori,

ac am Gapel Moreia y Wesleaid:

Capal Wesla wislyd,
Mochyn (weithiau 'Robin') yn y pwlpud,
Hwch yn pregethu
A mochyn yn brathu.

Gw. RG: BF 68.

1048

Bedyddwyr penne twp
Yn mynd i uffern bob yn drwp.

Ar lafar yn Ffair-rhos, Cered.

1049

O dowch i'r afon oll i gyd,
Nid oes gan undyn esgus;
Un sect a fydd yn niwedd byd
A'r rheiny i gyd yn Faptis.

Cymru xxxvii (1909), 67

1050

Chi dyfod i'r eglwys,
Chi gwneuthur yn gall,
Chi dim mynd i'r capel
At bobol y fall.
Chi talu y degwm,
Chi gneud yn eich lle,
Chi mynd ar ôl marw
I ganol y ne'.

AWC
Nantglyn, Dinb. I'w adrodd yn gyflym ac undonog

1051

Eglwys Loeger uwch na neb,
Llediaith neis a phletio ceg;
Person plwyf a sgweiar sgwat –
Gwnewch y tro os tynnwch gap.

Godre Cered.

1052

Methodistiaid Calfin cas
Gosod seti i bobl fras.

LlG 17, 28

1053

Sentars bach y paraffîn,
Mynd i uffern bob yn un.

DT

Elerch, gogledd Cered.

1054

Methodistiaid creulon cas
Mynd i'r capel heb ddim gras;
Cadw'r seti i'r bobol fawr,
Gadael tlodion ar y llawr.

LlG 60, 7

Ceid dwy linell glo arall mewn fersiwn o'r Waunfawr, Caern.:

Methodistiaid creulon cas
Mynd i'r capel heb ddim gras;
Dŵad adre'n ddigon blin
Heb ddim trowsus am eu tin,

a dwy wahanol eto mewn fersiwn o ardal Pennant, Llan-non, Cered.

Methodistiaid creulon cas
Mynd i'r capel heb ddim gras;
Malwod mawr ar hyd y wal,
Methodistiaid yn eu dal.

1055

Methodistied, penebylied,
Lladron gwyllt yn cerdded
Y walie.

AWC

Llanwddyn, Trefald.

1056

Sentars sychion be na bw,
Neb yn gwybod ond y nhw;
Ffraeo â'i gilydd ac â phawb,
Byd o'i go rhwng brawd a brawd.

AWC 2868/1

Cered.

1057

Sentars, ista ar y pentan,
Saethu pobol lawr i uffarn.

AWC (Tâp 3540)
Cricieth, Caern.

1058

Sentars, Sentars ar y pentan,
Disgwyl twrn i fynd i uffarn.
Sentars, Sentars, sgidia tylla,
Golchi'u traed wrth fynd trwy'r pylla.

AWC (Tâp 3274)
Llanfwrog, Rhuthun, Dinb.

1059

Wesla, Wesla, Wesla sych,
Cadw pawb ar fara sych.

AWC
Môn

1060

Wesla wyllt, het wellt,
Gyrru t'rana ar ôl mellt.

AWC (Tâp 3540)
Cricieth, Caern.

1061

Wesle wyllt fel rheffyn gwellt
Yn mynd trwy'r mellt a'r t'rane.

DT
Elerch, gogledd Cered.

1062

Wesle wislo,
Chwain yn neidio.

AWC
Dyffryn Ceiriog

1063

Wesle wyllt a'i wallt yn wyn,
Malu cerrig wrth Bont-y-Glyn.

AWC

Ardal Llangwm, Dinb.

1064

Wesle wyllt ar dop y gwrych
Yn canu cân y regen rych*.

AWC

Llanelidan, Dinb.
*Rhegen (y) rhyg – *corncrake*

BEDDARGRAFFIADAU (1) – rhai go-iawn . . .

1065

Byr a brau yw bywyd dyn,
Tra sydyn daw ei ddiwedd;
Felly darfu 'mywyd i
Trwy foddi yn dra rhyfedd.

TIE: CC 89

Ar garreg fedd bachgen 14 mlwydd oed ym mynwent
Eglwys Penbryn, Cered., a foddodd wrth ymdrochi.

1066

Buost fam i mi yn fore,
Maethost fi â'th gariad gore,
Am dy waith caredig ffyddlon
Cofiaf byth tra byw fy nghalon,
A phan dderfydd honno guro
Bydd y garreg hon i dystio.

Bye-gones (1893), 82

Ar fedd Ann Guest ym mynwent eglwys Llansanffraid-ym-
Mechain, Trefald. Bu farw yn 1798 yn 83 mlwydd oed.

1067

Ar dywarchen las ei feddrod
Wylo'n hallt fyn hiraeth pur;
Meddyg gwerin orwedd yma
Un fu byw i leddfu cur.
Âi yn fodlon heb ei dalu
At y teulu cyfyng trist;
Roedd gan dlawd y fro ddau feddyg :
Richard Hughes ac Iesu Grist.

HMJ: BFM 77
Ar fedd Dr Richard Hughes, Pennant Uchaf, Llanbryn-mair, 1906,
ym mhentref y Llan rhwng Llanbryn-mair a Phenffordd-las.

1068

Bu ei dafod a'i ysgrifell
Yn cyd-daenu efengyl Crist;
Perlau'r Groes ac *Aur Caersalem*,
Gynigai i dylodion trist.
Drych a *Cherbyd* a *Goleuni*,
Myfyrdodau lu ar g'oedd;
Un ar hugain rhif ei lyfrau –
Bunyan Cymru'n ddiau oedd.

Ar fedd y Parchedig Azariah Shadrach (1774–1844) ym mynwent
Eglwys San Mihangel, Aberystwyth. Cyfeirio at rai o'i lyfrau a
wna'r enwau mewn llythrennau italaidd.

1069

Trafeiliais trwy orfoledd
Yr America a'i rhandiroedd;
Yn llon ar y don
Y clywyd fy llais,
Ond mynwent yw'r man lle tewais.

Bye-gones (1902), 380

Ar fedd John Williams, 18 mlwydd oed, ym mynwent Eglwys
Llanbeblig, Caernarfon, 1847. Croesodd yr Iwerydd ugain o
weithiau.

AR DAFOD GWERIN

1070

Dau frawd yn cydorwedd
Wedi cyd-fyw am drigen mlynedd,
Heb nemawr air o anghydwedd
O'r dechreuad i'r diwedd.

DT

Ar fedd David a Thomas Jones, Cilpyllod (1860 a 1877),
ym mynwent Eglwys Nantcwnlle, Cered.

1071

Gweddïwr mawr, gorchfygwr ydoedd ef,
Nid ffurf ond bywyd oedd ei weddi gref;
A phan orffennodd ei ddaearol daith,
Lle'r aeth y weddi, y gweddïwr aeth.

GMR: CDP 40

Ar fedd John James ym mynwent Capel y Babell, Cwmfelin-fach,
Mynwy, lle hefyd y claddwyd Islwyn (William Thomas
1832–1878).

1072

Nac wylwch ddim, berthnasau mwyn,
Wrth gofio amdanaf fi;
Mewn cyflwr mwy dedwyddol wyf
Nag yna gyda chwi.

Cymru i (1916), 78

Ym mynwent Eglwys Cantref ger Aberhonddu ar fedd un a fu
farw yn 1859.

1073

Fy ffrins i gyd a'm gwraig ungalon,
Fe wnaeth y môr i chi drallodion;
Gwnaeth lawer harsip* dost i minne,
Ac yn y diwedd bu imi yn angie.

*hardship

Ar garreg fedd Evan Hughes, morwr, ym mynwent Eglwys
Llanfihangel Genau'r-glyn, Cered. Bu farw 26 Ionawr 1784
yn 37 mlwydd oed.

278

1074

Angau, pam gadewaist ffrwythau
Oedd yn aeddfed yn yr ardd,
Ac y torraist ir blanhigyn
Pan oedd yn blodeuo'n hardd?

EJ: DG 150
Ar fedd llanc 18 oed ym mynwent Salem, Porthmadog.

1075

Ddarllenydd gwych, ystyria'r gwir
Fy mod fel tithau'n rhodio'r tir,
A thyma'r lle rwy'n gorwedd nawr
O achos y llofrudd dan y llawr.
Nid angau o naturiol ryw
A'm torrodd bant o dir y byw
Ond dagr ddur a mwrddwr maith
Mewn eitha gwŷn a wnaeth y gwaith.

AWC 2868/3
Ar fedd David Davies ym mynwent Penbryn, Cered.
Llofruddiwyd ef, meddir, wrth geisio ei bresio i'r fyddin.

1076

Yma y gorwedd dau hen lanc;
Daethant yma o Landderfel
I orwedd yn y clai a'r grafel.

AWC
Ym mynwent Eglwys Rhosllannerchrugog, meddir.

1077

Dyma'r fan dan garreg fedd
Yr ŷm ein dwy mewn isel wedd;
Fe'n trowd ni'n sydyn ma's o'r byd
Waith mentro'r bad i groesi'r rhyd.

LlGC (DRP) 62, 207
Ym mynwent Eglwys Llanddewi Aber-arth, Cered., ar feddau
dwy ferch, Jane Valentine ac Elinor Richards, a foddwyd yn
afon Aeron, 1763.

1078

Nansi Felix a roes heibio
Ei thelyn dyner oedd yn tiwnio
Ac ehedodd ffwrdd oddi yma
O Orffwysfa i orffwysfa.

AWC 2868/1

Ar fedd telynores ddall ym mynwent Eglwys Llanbadarn
Fawr, Cered., a fu farw 29 Mehefin 1857. Trigai mewn
bwthyn o'r enw 'Gorphwysfa'.

1079

Nid oes neb ond Duw yn gwybod
Beth a ddigwydd mewn diwarnod;
Wrth gyrchu bresych at fy nghinio
Daeth angau i fy ngardd i'm taro.

ATD: CSG 254

Beddargraff Thomas Rees 'Twm Carnabwth' (?1806–76) ym
mynwent Bethel, Mynachlog-ddu, Penf. Bu iddo ran yn
nherfysgoedd Beca.

1080

Yma claddwyd un rhyfeddol
Am roi hanes achau pobol;
Rhoddai hanes gwlad a chrefydd
Am flynyddau yn dra chelfydd;
Medrai gof a sylw cywir
[Am] holl rannau o'r Ysgrythur.

Cymru xv (1898), 93

Ym mynwent capel y Presbyteriaid, Llangeitho, Cered.

1081

Yma mae'n gorwedd
Ym mynwent Mihangel,
Gŵr oedd â'i annedd
Dair milltir i'r gogledd.

EO: BC 119

Ym mynwent Eglwys Abergele

BEDDARGRAFFIADAU (2)
– rhai ychydig yn fwy cellweirus

1082
Dyma lle gorwedd hen gorffyn fy nhad,
Pridd ar ei ben a phridd ar ei dra'd;
Pridd ar ei draws a phridd ar ei hyd,
Yma y gorwedd hyd ddiwedd y byd.

Bye-gones (1894), 252

Ar fedd William Owen, meddir, ym mynwent Llanelltyd
ger Dolgellau.

1083
Dyma lle gorwedd John Benjamin* y coed,
Ni wnaeth e drugaredd ag undyn erioed;
Dyma lle gorwedd rhwng cerrig a chlai,
Fe laddodd ei hunan wrth weiddi 'Hai! Hai!'

AWC 1864

*Perchennog gallt o goed yn ardal Tal-y-bont, Cered., a oedd
yn feistr caled ac yn enwog am ei waedd 'Hai! Hai! pan
ddaliai un o'i weithwyr yn llaesu dwylo.

1084
Dyma lle gorwedd Morgan Rhys,
Wrth dorri pren fe dorrodd ei fys.
Torrwr beddau oedd wrth ei swydd;
Torrodd angau ef yn rhwydd.

Baner ac Amserau Cymru (1863) 21 Ionawr

Ar fedd yn sir Gaerf. meddir. Rhigwm tebyg yw'r canlynol
na cheir dim manylion ynglŷn ag ef:

> Yma y gorwedd gorff Siôn Rhys,
> Wrth hollti coed fe dorrodd ei fys,
> A chadd ei roi mewn gwely pridd
> Am ddeg o'r gloch cyn hanner dydd.

1085

Fan yma gorweddaf fi, Wil Hopcyn Huw,
Trugaredd â'm henaid o gwna, Arglwydd Dduw,
Fel y gwnawn i pe bawn i'n Arglwydd Dduw
A thithau'n fod meidrol fel Wil Hopcyn Huw.

AWC 1793

Ceir nifer o amrywiadau ar gynnwys y pennill hwn.
Cf. yr englyn dienw:

> Fy Nuw, gwêl finnau, Owen – trugarha
> At ryw grydd aflawen,
> Fel y gwnawn pe bawn i'n ben
> Nef, a thi o fath Owen.

TGJ: GG 52.

1086

Huw Huws y goes fechan a'r llall y goes fawr
Sydd yma yn gorwedd yng ngwaelod y llawr;
Pan gyfyd i fyny ymhlith yr holl saint
Fe fydd y ddwy goes wedi tyfu 'r un faint.

AWC 2868/1

Ym mynwent Eglwys Llanddewibrefi, Cered., meddir.

1087

Rhechwch yn ffri
Lle bynnag bo chi
Canys rhech wedi'i rhwystro
A'm lladdodd i.

LlG 23, 5

Honnir bod y pennill i'w weld ar garreg fedd yn Edern, Caern.

1088

Yma y gorwedd Sara'r wyau
Yn y cladd ymysg y beddau;
Dodwch arni bridd a cherrig
On'te daw Sara lan yn sarrug.

AWC 2868/1

Caerwedros, Cered.

1089

Yma y gorwedd yn y graean
Hen gorff pwdwr stiward Gwernan;
Os gofyn neb paham fu farw,
Marw wnaeth o eisiau cwrw.

JGD: WCPU 60

Beddargraff iddo ef ei hun o waith landlord tafarn y Bwlch-gwyn
yng ngodre Cered.

1090

Yma mae'n gorwedd gorff Edward Fryn Glas,
Un mawr o gorffolaeth, a 'chydig o ras;
Ni pharchai mo ddynion, nid ofnai mo Dduw,
Os cadd o drugaredd peth rhyfedd iawn yw.

Cymru iv (1893), 188

Gan Isaac Williams, bardd gwlad o sir Ddinb., am y gwrthrych, a
oedd yn hen ymladdwr, ac a ofynnodd i'r bardd am bennill i'w
roi ar ei garreg fedd. Ceir fersiynau tebyg am wahanol ddynion
ynghyd â rhyw fân amrywiadau.

1091

Yma y gorwe' Deio Salgar
Lawr yn ishel yn y ddeiar;
Os carith e'r bedd fel carodd ei wely
Fe fydd y dwetha yn atgyfodi.

ELIW: CSB ii. 30

Ar garreg fedd ym mynwent Nanhyfer, Penf., yn ôl un
traddodiad. Ceir yr un rhigwm hefyd am 'Letys Hagar' a
'Mari Salw'.

1092

Yma y gorwedd Siôn y Crydd
O dan deulwyth da o bridd;
Fel yr angel ef a gwyd
Heb angen gwraig nac eisiau bwyd.

LlGC (DRP) 220

Beddargraff gŵr o sir Frych. a fu'n briod bum gwaith

1093

Yma mae'n gorwedd 'rhen Robert gŵr Gwen
Yr hwn a fu farw ag un goes bren;
Yn y dydd ola' oni fydd hi'n loes
I Robert orfod sefyll ar ddim ond un goes?

Y Cymro (1891) 30 Ebrill

1094

Yma'n gorwedd yn ei wâl
Mae'r hen Wil o Benrhiw-pâl;
Buasai fyw am ddwy oes
Oni bai'r gowt oedd yn ei goes.

AWC 2868/1

Penrhiw-pâl, Troed-yr-aur, Cered.

1095

Yn y dyfroedd mawr a'r tonnau
Nid oes neb a ddeil fy mhen;
Yma y gorwedd Anti Mali
Wedi mynd tu draw i'r llen.

AWC 1991/3

Llandysul, Cered.

MANION

1096

Ar ei draed roedd Paul Apostol,
Ar ei draed roedd Iago grasol,
Ar ei draed roedd Pedr danllyd,
Ar fy nhraed 'r af innau hefyd.

AWC 2868/1

'Pan oedd Azariah Shadrach yn weinidog yng nghylch Aberystwyth roedd ganddo gylch eang iawn, a byddai bob amser yn cerdded i'w gyhoeddiad. Un Sul anfonodd ffermwr o ardal Tal-y-bont drap a phoni i'w gyrchu, ond gwrthod wnaeth. Dyma ei ateb.'

1097

Ar lan Iorddonen ddofn
Eisteddai ffarmwr teidi;
Ni fedrai groesi hon
Heb gymorth y sybseidi.

AWC 2186/7

Rhigwm a adroddai 'dyn y *War Ag*' wrth fynd rownd y
ffermydd yn sir Ddinb. adeg yr Ail Ryfel Byd.

1098

Cwyd aderyn bach o'i nyth
Am fod Duw yn dirion byth,
Ac fe'i lleddir gan y gath
Am fod Duw yn dal 'r un fath.

AWC

1099

Matthew, Marc, Luc ac Ioan,
Actau bach ar ben 'i hunan;
Matthew, Marc, Luc a John,
Actau bach ar bwys ei ffon.

EH: DOPG 28

Gogledd Cered. Yn sir Frych. ceid yr amrywiad:

Pedr bach ar bwys ei ffon.

1100

Ar fore mawr yr Atgyfodiad
Dygir Siani fwyn gerbron,
A'r angylion yn syn ofynnant:
'Brenin annwyl! O ble daeth hon?'

Bye-gones (1872), 83

Rhigwm tra chyfarwydd ym myd y rhigymau. Wele amrywiad:

Dydd y Farn! Dydd rhyfeddodau,
Neli Harri ddaw gerbron,
A'r angylion a ofynnant:
'Brenin Mawr! O ble daeth hon?'

Bye-gones ibid.

1101

Dyma Gymdeithas hynod iawn,
Myfi yn llwm a phawb yn llawn;
Myfi yn dlawd heb feddu dim
A Dewi Mawrth* yn feirniad llym.

JLlJ: ATC 47

*David Roberts (1827–1899), hen gymeriad o Fedyddiwr selog a bardd
gwlad o ardal Glyn Ceiriog. Arno gw. Thomas Frimston: *Dewi Mawrth
a'i Amserau* (1924). Diolchaf i Huw Ceiriog am y cyfeiriad hwn.

1102

O Arglwydd dyro awel
A honno'n awel gre',
A chwytha fel y cythrel
O hyn tan amser te.

LlG 32, 6

Dinb. Byddai nain Hafina Clwyd yn adrodd y pennill 'wrth edrych
ar leiniad o ddillad newydd eu hongian i sychu'. Pennill arall a
adroddai ar ôl bod allan yn rhoi dillad ar y lein neu ryw achlysur o'r
fath fyddai:

O mae hi'n oer
A finne'n dene,
Dim ond croen
I guddio'r 'senne.

LlG ibid.

1103

Dyn wyt ti o wlad bell,
Bysa'r ffirad yma fasat ti fawr gwell;
Gorwedd fan'na gyda'th dada
A phan godan nhw, coda ditha.

LlGC 15796, d.d.

'Daethpwyd o hyd i gorff dyn dieithr ar y mynydd uwchben
Llanwynno, Morgannwg. Ar ôl y trengholiad aethpwyd ag ef i fynwent
yr eglwys i'w gladdu. Ond ni ddaeth yr offeiriad yno. Ar ôl oedi am
amser hir, meddai un o'r cwmni, "Dyw hi ddim gwerth i ni aros hacor
am dano, fe weta i air". A dyma fel y dywedodd.' Ceir amrywiadau ar y
rhigwm, a lleolir y digwyddiad mewn mannau eraill yn ogystal.

1104

Ein Tad yr hwn wyt yn y daflod,
Tyrd i lawr, mae'r bwyd yn barod;
Bara llaeth mewn desgl bren
Yn oes oesoedd, Amen.

LlG 28, 5

'Gras bwyd gweision ffermydd Môn.' Ceid deisyfiad tebyg yng
ngogledd Cered.

Ein Tad yr hwn wyt yn y dowlod,
Dere lawr, mae'r cawl yn barod;
Dere â basin a llwy bren,
Diolch iti byth. Amen.

EH: CGCLl 24

1105

Wele cawsom bwdin bara,
Pwdin bara gora 'rioed;
Chafodd Moses na'r proffwydi
Bwdin tebyg iddo 'rioed.
Pwdin yw,
Ia, wir dduw,
Efo cyrans a dau wy dryw.

LlG 12, 5

1106

Fe feddwodd Noa dduwiol
A Lot yn wael ei lun,
Fe odinebodd Dafydd,
Fe laddodd Moses ddyn;
Fe wadodd Abram Sara,
Mae hyn yn newydd trist,
Ac i goroni'r cwbwl
Fe wadodd Pedr Grist.

The Cambrian News (1987) 29 Awst

'A dim ond meddwi wnes i', meddai cymeriad arbennig ar ôl darllen
y pennill i reithwyr un o feinciau ynadon Ceredigion.

1107

Mae miloedd wedi cael y fraint
O eiste lawr yn sêt y saint,
A miloedd wedi crio bron
Na chawsant hwythau fynd i hon.

Y Drysorfa (1940), 343

Am y Sêt Fawr

1108

Ni fydd Latin yn y nefoedd,
Ni fydd Groeg yn nhŷ ein Tad,
Ni fydd Euclid nac Algebra
Byth o fewn i gaerau'r wlad.
Nefol Jiwbil
Gad im weld y bore wawr.

Gweld y byd trwy gil un llygad,
Gweld hen geffyl yn rhoi llam,
Gweld yr oen yn fwy na'r ddafad
A'r llo bach yn fwy na'i fam.
Cwrw ocsiwn,
Cwrw rhyfeddodau yw.

AWC

Cofiai Tom Davies (awdur *Yn Fore yn Felindre*) ei letywraig yn
Llandysul, *c*.1914, yn canu'r uchod fel petai'n canu emyn.

1109

Pa ŵr y sydd a'i oes dan sêl
Na ddêl marwolaeth ato?
A phwy a ddianc, ac ni ddaw
Y gaib a'r rhaw i'w guddio?

Y rhai a gladdwyd yn y môr
I'r pysgod mawr eu llarpio
Yw'r rhai a ddianc, ac ni ddaw
Y gaib a'r rhaw i'w cuddio.

i. LlGC (Amryw Caerdydd) W2. 252
ii. CM 801 (toriad papur)

1110

Os y'ch am grefydd newydd iach
Dewch gyda fi i Capel Bach;
Cewch hyfed cwrw a charu'r nos
A mynd i'r nef heb gario'r Gro's.

DT

Bronnant, Cered.

1111

Plant ydym eto dan ein hoed
Yn disgwyl am fwstás;
Mae'r etifeddiaeth inni'n dod
Wrth shafio yn y glàs.

AWC 2186/13

1112

Rwyf innau'n filwr bychan
Yn dysgu saethu pys
I hitio Mussolini
O dan ei fotwm crys.

AWC 3275/9

1113

Rhagluniaeth fawr y nef
Mor rhyfedd yw;
Y cytia i gyd yn racs
A'r ieir yn fyw.

AWC 2186/85

1114

Wele cawsom ym Methesda
Datws a chig gora 'rioed.
Marged Elin oedd yn serfio;
Disgynnodd plât ar fawd ei throed.

LlG 11

?Bethel, Caern.

1115

Y co'd a'r mawn a'r calch a'r pridd
Fo byth i enw'n clacwydd ni.

DT

Llanddewibrefi, Cered. 'Pegi Craflwyn yn rhoddi gair maes
i ganu yng nghapel Soar.'

1116

Rwyf yn myned bore fory
I'r Gyfylchi i addoli
Ar fy ngliniau gyda'r dyrfa,
A chofio'r Gŵr fu ar Galfaria.

GMR: CBM 40

'Dywedir y byddai'r crïwr yn mynd o gwmpas Castell-nedd a
Sgiwen ar nos Sadwrn cyn y cymun misol yn y Gyfylchi, ac
yn cyhoeddi ar gân.'

BYS A BAWD
DETHOLIAD O RIGYMAU BYSEDD

1117

'Awn i'r mynydd,' meddai Modryb Mawd.
'Be wnawn ni yno?' meddai Bys yr Uwd.
'I ladd defaid,' meddai Hirfys.
'Beth os gwelir ni?' meddai'r Cwtfys.
'O, cuddiwn dan y garreg fawr,' meddai'r bys bychan, bach.

DT
Cross Inn, Cered. Ceir sawl amrywiaeth ar y pennill hwn:

'Dowch i'r mynydd,' medda Modryb y Fawd.
'Be wnawn ni'n fan'no?' medda Bys yr Uwd.
'Hela llwynog,' medda Hirfys.
'Beth 'tae rhywun yn gweld ni?' medda Bys Fodrwy.
'Llechu dan lechan,' medda'r Bys Bychan.

LlG 3, 17
Bryncroes, Llŷn

'Dowch i fyny,' meddai'r Bawd.
'I beth, i beth?' meddai Bys yr Uwd.
'I fwgwn-llwgwn,' meddai'r Canolfys.
'Be fysa ni'n cael drwg?' meddai Hirfys.
'Wel dengwn, dengwn, dengwn,' meddai'r Bys Bach.

LlG 3, 17
Caernarfon

'Mi awn ni i'r coed,' medda Modryb y Fawd.
'Be wnawn ni'n fan'no?' medda Bys yr Uwd.
'Hel pricia,' medda Hirfys.
'Be tasa rhywun yn ein gweld ni?' medda Twtfys.
'Mi redwn ni adra,' medda Pigyn Bach Bach.

LlG 49, 20
Llannerch-y-medd, Môn.

1118

Bawd,
Bys yr Uwd,
Pencrogwr,
Pil pabw'r,
Robin bach wedi torri ei ben.

LlGC 2631, 84

Yn llaw Ioan Pedr (John Peter 1833–77) o ardal Penllyn,
Meir. Ei ddysgu gan ei nain.
Ychydig yn hwy yw'r fersiwn yma o Fryncroes yn Llŷn:

Bawd Mawr,
Bys yr Uwd,
Topyn y Gogor,
Wil y Rhidiwr,
Robin Bach, druan gŵr,
Dorrodd ei ben wrth gario dŵr
I mam i dylino.

LlG 3, 17

Gwelir yr un llinellau clo ar ddiwedd y fersiwn canlynol:

Bowden,
Gwas y Fowden,
Ibal Abal,
Gwas y Stabal,
Bys Bach, druan gŵr,
Dorrodd ei ben wrth gario dŵr
I mam i dylino.

Llafar (1951), 166

Ni nodir ardal

1119

Bys Bwstyn
Bach y Drontol,
Hir ei gyrra'dd,
Pert am ymladd,
Wil Bach, 'u mishtir nhw'i gyd.

DT

Atpar, Castellnewydd Emlyn, Cered.
Weithiau ceir 'Pwtyn Nerthol' yn llinell gyntaf, a 'Glew i
ymladd' yn bedwaredd. Gw. LlG 49, 21

1120

Benni Benni,
Cender Benni Benni,
Benni Dabwr,
Dic y Crogwr,
Bys Bach, druan gŵr,
Tynna nhw'i gyd trwy'r dŵr.

LlG 49, 21

Rhymni. Yn sir Fynwy hefyd ceid fersiwn arall tebyg:

Dyma Fenni Fenni,
Dyma frawd Fenni Fenni,
Dyma Fenni Dapwr,
Dyma Dic y Crogwr,
Dyma'r Bys Bach, druan gŵr
A dorrwyd ei ben.

Yn ardal Abertawe clywid:

Bêni Bêni,
Cinder Bêni Bêni,
Bys y Tapwr,
Bys y Crocwr,
Bys Bach yn tinni'r drain trw'r dŵr trw'r dydd.

LlG 52, 14

Dyma fersiwn o Benf.:

Beni Benni,
Mab Benni Benni,
Benni Babwr,
Shincyn Crogwr,
Bys Bach, druan gŵr,
Cario dŵr i'w fam 'i facsu.

LlG 62, 9

Ac un arall o ardal Aberafan, Morg.:

Benni Benni,
Cender Benni Benni,
Libwr Labwr,
Asyn pwdwr,
Bys Bach, druan gŵr,
Yn cario dŵr i facsu.

LlG 49, 20

1121

Bys Bowtyn,
Twm Sgwrffyn,
Lloyd Harris,
Jams Dafis,
Twmi Bach y Cwmpni*.

LlG 49, 21

Gwent
*Weithiau 'Stiwart Bach y Cwmpni'
Perthynas agos yw'r rhigwm hwn o ardal Milo, Caerf.:

Bys Bowtyn,
Twm Stowtyn,
Long Harris,
Short Dafis,
Bys Bach.

LlG 49, 20

Mewn fersiwn tebyg a gofnodwyd ym Merthyr Tudful ceir
'*Come on*, Wil Bach!' fel llinell olaf.

1122

Bys Bwcyn,
Lo Locyn,
Twm Siencyn,
Jo Blacyn,
Cyw Corner.

Llŷn

1123

Feni Feni,
Cefnder Feni Feni,
Feni Mabws,
Chwilen obws,
Bys Bach, druan gŵr,
Taro'i ben o dan y dŵr,
Codi fyny'n gopsyn.

DJE: HCS 125

Gogledd Cered.

1124

Feni Feni,
Cefnder iddi,
Whidi Dabwr,
Whidi Grogwr,
Bys Bach, druan gŵr,
Yn llusgo drain ar hyd y dŵr.

DLl 13

Brych.

1125

Bys Bwstyn,
Twm Sgwlcyn,
Long Harris,
Short Morris,
Wil Bach.

DT

Bronnant, Cered.
Weithiau ceir 'Twm Sgwbyn', 'Twm Sgwlyn', 'Twm Shwgryn',
'Twm Swchyn' , 'Lloyd Harris', a 'Jams Dafis'
a 'George Dafis' yn lle 'Short Morris'.

1126

Modryb y Fawd,
Bys yr Uwd,
Pen y Gogor,
Jac y Peipar,
Siolyn Bach Bach,
A mochyn yn cwt.

LlG 47, 11

Llŷn. Wrth adrodd y rhigwm i blentyn cosid ei law wrth
ddweud y llinell olaf.

Y mae'r tair llinell gyntaf yn lled gyson yn yr amryw
fersiynau a geir o 'Modryb y Fawd', ond ceir mwy o
amrywiaeth yn y bedwaredd, e.e. ar wahân i'r rhai a nodwyd
uchod, 'Dic y *fighter*' (Bronnant, Cered.), 'Dic y Peipar' (Clwyd)
a 'Pic a pai' (Caergybi). Digwydd 'Joli Cwt Bach' hefyd am y bys
bach mewn ambell rigwm o wahanol ardaloedd yn y gogledd.

1127

Twm Tabwrdd,
Fenni Fenni,
Cender Fenni Fenni,
Ifan Yfwr,
Bys Bach, druan gŵr,
Yn mofyn drain dros y dŵr
I helpu mam i facsu.

LlG 49, 20

Rhydaman. 'Twm Tabwth' yw'r bawd mewn fersiwn o
Landysul, Cered. (DT), a gorffennir â'r llinell 'Mofyn drain
dros y dŵr adre i'w fam i facsu'.

1128

Modryb Bawd,
Bys yr Uwd,
Hirfys,
Cwtfys,
A Bili Bibwr.

LlG 73, 27

Yn yr un ffynhonnell ceir fersiwn sy'n gorffen â'r llinellau:

Corfys,
A'r bys bach cyfrwys.

Ni nodir ardal y rhigymau hyn.

1129

Bys Brwcsyn,
Twm Swclyn,
Long Harris,
Short Dafis,
Bili Bach,
Hwn mynd i'r ffair,
Hwn cario'r fasged,
Hwn par'toi cinio,
Hwn fyta fe i gyd,
Bili Bach heb ddim.

AWC (Tâp 4996)

Aberhonddu, Brych.

Tebyg yw hwn a gofnodwyd yn ardal Bronnant, Cered.:

    Bys Bwtsyn,
    Twm Swcryn,
    Harris,
    Morris,
    Wil Bach.
    Hwn yn mynd i'r dre,
    Hwn yn cario'r fasged,
    Hwn yn neud cinio
    A hwnna'n 'i fwyta fe'i gyd
    A Wil Bach bron [clemio].

                 AWC

Ym Mhontyberem, Caerf., ffurf y llinellau olaf oedd:

    Hwn yn mynd i'r farced,
    Hwn yn cario basged,
    Hwn yn golchi'r llawr,
    Hwn yn gwneud cinio
    A hwn yn byta fe'i gyd.

                 LlG 49, 21

1130

    Fenni Fenni Fawd,
    Brawd y Fenni Fawd,
    Wil Bibi,
    Siôn Bobwr,
    Bys Bach, druan gŵr,
    Dal 'i ben o dan y dŵr.

           LlG 49, 21; 73, 26
?Dyffryn Teifi, Cered.

1131

    Un, doi, torri cnoi,
    Tri, pedwar, dwmbwr dambar,
    Pump, whech, gad dy sgrech,
    Saith, wyth, cario llwyth,
    Naw, deg, cau dy geg.

           LlGC (DRP) 418, 12
Morg. I ddysgu rhifo'r bysedd.

1132

Modryb y Fawd,
Bys yr Uwd,
Pen y Gogor,
Gwrach y Rhibyn
A Robin Ewin Bach.

LlG 73, 27

Dyffryn Aman

1133

Twm Twmpyn,
Jac Stwmpyn,
Long Harris,
Dei Dafis,
Wili Bach.

Gogledd Cered.

AMRYW

1134

A dâl i mi i blannu co'd
A byw a bod yn gybydd,
A marw fory yn ddi-glod
A rhannu 'nghod i drennydd?

DT

Betws Bledrws, Cered.

1135

A welsoch chi rywbeth
Mor gall a mwy doeth
Yn canu mor beraidd
A'i din o mor boeth?

Mae'i ochre cyn ddued
Â phen yr hen frân;
Pan flinith o ganu
Fe bisith i'r tân.

Ff a Th 27, 18

Am y tegell

1136

Amen, clochydd pren,
Dannedd priciau yn ei ben.

LlGC 2631, 179

'Byddai gan bersoniaid rhai plwyfi gwledig yn yr oes o'r
blaen beiriant i wneud sŵn tebyg i "Amen" pan fethent gael
defnydd clochydd gwell. Yr oedd olion un o'r rhai hynny
ym Mhennant Melangell hyd yn ddiweddar' (John Peter
(Ioan Pedr) 1833–77).

1137

Bobol annwyl, daliwch sylw,
Matras gwely a dau bilw*;
Papur punt brynith y lot,
Jwg a basin a dau bot.

LlG 59, 5
Arwydd unwaith yn ffenest Siop Policoff, Bangor
*O'r Saesneg *pillow*

1138

Cleddwch y meirw
A dowch at y cwrw,
Ynfydrwydd yw darllen
I neb wedi marw,
Hynod iawn, hynod iawn.

The Welsh Gazette (1924) 17 Ebrill
Adroddwyd gan hen glochydd Eglwys Sant Mihangel,
Aberystwyth, ar ddiwedd angladd.

1139

Calico, *moleskins* a rib,
Brethynau, *velvet and tweeds,*
Hosiery, cravets and ties,
Counterpanes, blankets and ticks,
Crinolines, laces and bl[i]nds,
Rhubanau, blodau a phluf,
Merinos, lamas and prints,
Boneti, hetiau a *shawls,*
Umbrellas, leggins and gloves,
Paraffin lamps, wick and oils,
And everything else to suit
Gentlemen, ladies and all,
Ac arnoch chwi fydd y bai
If you don't happen to call.

Y Byd Cymreig (1865) 21 Rhagfyr
Hysbyseb yn y wasg gan J. D. Thomas, siopwr o Landysul,
Cered., 'er mwyn gwneud *clearance* da cyn symud i'w le
newydd'.

1140

Blwyddyn ryfedd yw hi 'leni,
Gweld bugeiliaid yn priodi;
Bydd mwy rhyfedd flwyddyn nesa –
Gwŷr a gwragedd yn bugeilia.

DT

Betws Bledrws, Cered.

1141

Bodlon wyf i os bodlon yw Siôn
Gwerthu'r ddwy ddafad
A chadw'r ddau o'n.

AWC 3274/49

Porthcawl

Fe'i hadroddid pan fyddai cyd-weld rhwng dau berson.

1142

Camsyniad mawr a wnaeth un dyn,
Rhodd ful mewn cart yn lle ei hun;
A'i hunan yn y siafft a rodd
Gan yrru felly wrth ei fodd.

CM

1143

Ceffylau, da a defed,
Asynnod, moch a merched,
A pheint o gwrw gwych am dair,
A dyma'r ffair bob tamed.

AWC 2186/11

1144

Dib dab lib lab grib grab gwban,
Gabl abl oeran abl ar drebl driban
Croch och wchw garw twrw taran
Gwaedd goedd gwydd gwedd giaidd gan.

LlG 9, 21

Ardal Penmachno. Dynwarediad o sŵn y fuddai wrth gorddi.

1145

Cwyno'n arw y mae Beti
Bod y toes yn hir yn codi;
Jos y siop sy'n cael ei feio
Am roi blawd mor sâl i Deio.

AWC 3422/22

1146

Cialch! Cialch!
O Otyn Gyllan Ffrengig
I wyngalchu tai bonheddig,
Rhaid gwyngalchu'n sŵn y gog
Erbyn dydd mawr y Grog.
Cialch! Cialch!
I'r clawd a'r balch,
I giatw'n iaech prynwch gialch
Erbyn dydd mawr y Grog.

LlG 40, 10

Gwaedd Mocyn o Odyn y Gollen Ffrengig yn ymyl pentref
Ffynnon Daf, Morg., a werthai galch yn yr ardal.

1147

Codwch ei gorff ac ewch â fo i ffwrdd
Heibio'r tŷ tafarn ac at y tŷ cwrdd.

AWC 2186/5

'Wrth gladdu hen gymeriad a fu'n hoff o'i lasied.'

1148

Dyma foiler bach irfeddu,
Yn Llanelli cas ei ddodi;
Gyda'r trên ddaeth i lawr
Mewn awr.
Ceffylau Bland
Tynnodd e lan;
Dyma fe nawr yn 'i le
'N towlu stîm dros y dre.

TD: YFF 50

1149

Dafydd Jones ym gelwir heddiw,
Rwi'n byw mewn man a elwir Trefriw;
Argraffwasg sydd genni i brintio,
A llyfrau newydd wyfi'n addo.

Mewn gwirionedd rwyfi'n dwedyd
Cyflawni wna'i fy holl addewid;
Os byddi byw a Duw yn llwyddo
Yn ddigelwydd gellwch goelio.

LlGC (oddi ar bamffledyn hysbyseb gan Ddafydd Jones o
Drefriw (?1708–85) wedi iddo brynu hen argraffwasg Lewis
Morris o Fôn yn 1776).

1150

CAIS I DEILIWR

Daliwch sylw, Thomas weddol,
Mae fy nghlosyn yn aflesol;
Y mae eisiau closyn newydd
Fel y gwelwch, Thomas gelfydd.

Llonni byddaf wrth weld llinyn
Fydd yn mesur pleth y ddwyglin;
Thomas annwyl, o mesurwch,
Yna pwythwch, pwythwch, pwythwch.

CM

1151

Dewch i'r bylgen* gyda'r seren;
Sawl sy â diogi, peidied codi.

LlGC (Llên Gwerin Sir Gaerf., 1895), 87

*Plygain

1152

Mae fy ngwraig i heb ei geni
A choed ei chrud heb ddechrau tyfu.

Cymru xlv (1913), [163]

Llanfrothen, Meir. 'Dihareb yr hen lanciau.'

1153

Diogi, diogi,
Gad imi godi;
Gollwng fi heddi,
Dal fi fory.

Ar lafar yn Nhrefald. Ceir amrywiadau arno mewn
ardaloedd eraill:

Diogi, diogi, gad fi'n llony',
Ti gei geiniog gen i fory.

AWC 3274/129

Porthcawl

Falle cei di awr fach fory.

AWC 2186/87

Llangrannog, Cered.

Jiogi, jiogi,
Gad fi godi,
Cymer awr
Neu ddwy yfory.

LlG 7, 15

Caerfyrddin

Jiogi, jiogi,
Gad fi'n llony',
Cei fi heno
Yn y gwely.

LlG 7, 15

Penf.

1154

Dyw Byrallt* yn wir, na'r Trallwyn*
Fowr o beth i fynd i'r plowin*,
Ond y maent yn eryd gweddol
I fod getre'n 'redig sofol*.

AWC (Tâp 5493)

*Byrallt, Trallwyn – erydr o waith gofied lleol yn ardal Mynachlog-
ddu, Penf.
*Plowin – cystadleuaeth aredig.
*Sofol – sofl, bonion ŷd &c. a adewir mewn cae ar ôl medi'r cnwd.

1155

Corddi, corddi, gwraig Dei Harri,
Brechdan wen a blewyn ynddi.

LlGC (Llên Gwerin Dyffryn Aman, 1907), 21
Pennill i'w adrodd wrth gorddi. Fersiwn Ffair-rhos, Cered., oedd:
Corddi, corddi, menyn Siôn Harri,
Brechdan dew a blewyn ynddi.

1156

Gwen coda, Gwen coda
Ac agor y ddôr,
Fan yna mae'n gynnes,
Fan yma mae'n o'r;
Mae'r to yn diferu drip drop ar fy mhen,
Rwy'n siŵr na ddymunet dim drwg imi, Gwen.

AWC 2186/34
Ardal Cydweli, Caerf. Dywedir mai achlysur ei gyfansoddi
oedd fod gŵr 'wedi yfed ychydig ar y mwyaf, ei wraig wedi ei
gloi allan a mynd i'r gwely'.

1157

Diolch am a gafwyd;
Ni chafwyd ond ychydig
Ond roedd yn dda ddiawledig.

AWC 2186/92
Nefyn, Caern.

1158

Injan oel sydd gan y Maer
Dest 'r un seis â het ei chwaer;
Mae hi'n handi iawn i gorddi
Ac i sbario'r mownten poni.

Ff a Th 26, 32
Llanengan, Caern. Wedi i William Freeman (a elwid
'Y Maer') gael peiriant i gorddi gan arbed y poni 'i fynd
rownd a rownd i droi'r corddwr'.

1159

Pan fyddi'n ffili dala
Neu falle'n teimlo'n sâl,
Mae'n gysur wastad gwbod
Fod lle fel hyn i ga'l.

Ar wal tŷ bach a oedd yn rhan o Neuadd y Brenin, Aberystwyth, gynt. Dymchwelwyd bellach.

1160

Dymuniad calon 'r adeiladydd,
'R hwn a'th wnaeth o benbwygilydd,
Fod yma groeso i Dduw a'i grefydd
Tra bo carreg ar ei gilydd.

ALIW: CA 141

Pennill a gerfiwyd uwchben drws ffermdy Drws-y-coed ger Beddgelert.

1161

Fe godais yn fore, mi rwymes trwy'r dydd,
Fe rwymes rai cannoedd, mae llawer yn rhydd,
Fe weithies sopynnod*, does arnaf ddim braw,
Ni wlychant eleni – os na chan' nhw law.

DT

Llanwenog, Cered.

*Bwndeli o ŷd neu lafur ar y cae

1162

Fe'i cei pan ddaw'r llong
I mewn o Hong Kong.

AWC (Tâp 4480)

Tregeiriog, Dinb. Ateb i blentyn pan fyddai'n gofyn am rywbeth nad oedd i'w gael.

1163

Hogia'r werin, hefo caib a rhaw,
Dyna'r ffordd i gadw'r hen Saeson draw.

GT/MJ: ADP 18

Eifionydd, Caern.

1164

Fi ydyw'r feistres,
Fi piau'r gweud;
Os na chaf fi 'nhrefen
Does dim caiff ei wneud.

LlG 7, 15

O ardal Caerfyrddin

1165

Gair da 'mhob man y rhof i ti,
Rho di 'mhob man air drwg i mi;
Nid doeth wyt ti, na minnau'n gall –
Ni chred y byd na'r naill na'r llall.

LlGC 13146, 203

Addasiad o'r Ffrangeg yn ôl Iolo Morganwg

1166

Geneth aeth i ffair Pwllheli
A chymeriad gloyw ganddi,
Ac wrth ddilyn temtasiyne
Collodd hwnnw cyn dod adre.

AWC 1864

Cered.

1167

Gorffwysfa i Gymro glân;
Rho ddiolch i Dduw,
A cher yn y bla'n.

GMR: CBM 27

Ar garreg orffwys a osodwyd gan un o deulu Aberpergwm, Morg.,
ar ymyl un o rodfeydd y plas.

1168

Os cedwch fi yn lân mewn bri
Dywedyd wnaf y gwir i chi.

Bye-gones (1903), 26

Ar gas oriawr a wnaed gan Thomas Edwards, oriadurwr o Gorwen.

1169

Gwraig ar ben ei drws a feiai
Am y mwg ddoi o ryw simnai,
Ond hi gafodd ei dirwyo
Am mai'i simnai hi oedd honno.

AWC 1141

Trefald.

1170

'Alan! 'Alan!
Rhaid cael 'alan ddychra'r gaea
Er mwyn 'alltu'r mochyn tena;
Rhaid cael 'alan pin ddaw'r rhew
Er mwyn 'alltu'r mochyn tew.
Prynwch 'alan, ferchid Cymru,
Er mwyn ciatw'r ciawl rog drewi;
Prynwch 'alan, ferchid bêch,
Er mwyn ciatw pawb yn iêch.
'Alan! 'Alan!
Dyma 'alan gora Cymru
Sydd gin Dan a Peci fêch.

LlG 40, 10

Cyfarchiad Dan a Pegi'r 'Alan wrth werthu halen yn
Nantgarw, Morg.

1171

Mae mam am brynu beic i mi
A hwnnw'n feic i hogan,
A hwnnw'n padlio fel y diawl
Am stesion bach Bodorgan.

AWC

1172

Paham y cosbir neb, wy'n gofyn,
Am ddwyn yr ŵydd oddi ar y comin?
Tra lleidr mwy yn fawr ei lwydd
Yn dwyn y comin oddi ar yr ŵydd.

Y Darian (1926) Ionawr

1173

Hen ddyn Tyddyn Ci
Isio gwas 'r un fath â fi
Fedar hau
A chau a chadw
A chwythu'r tân
A phlicio'r tatw.

Y Brython (1931) 12 Tachwedd

1174

Mae'r rhai sy'n prynu'n Siop y Glyn
Yn safio arian, cofiwch hyn;
Y mae ei chlod ar dafod gwlad
Oherwydd bod hi'n gwerthu'n rhad.

Os am ein gwisgo'n ddestlus iawn,
I Siop y Glyn i gyd yr awn;
Pob gradd ac oedran a phob rhyw,
Ein boddio gawn mor wir â'n byw.

Mae cannoedd o drafeilwyr nawr
Gan Siop y Glyn, rhai bach a mawr,
Yn cario *samples* ma's bob dydd
O'r stôr esgidiau yno sydd.

Gan Siop y Glyn mae uchel nod –
Rhoi cyflawn werth i bawb sy'n dod,
A dyna'r rheswm fod y siop
Yn cael ei rhesi ar y top!

Hawdd safio arian, pwy a wad?
Os cawn ein angenrheidiau'n rhad!
O! byddwn ddoeth, a chofiwn hyn,
Mae'r ffordd i'r banc drwy Siop y Glyn.

Awn yno i gyd i brynu
Er mwyn cael gwerth ein pres.

ER: HB
Hysbyseb gan David Harries, Siop y Glyn, Park Street,
Brynaman, ar glawr mewnol y gyfrol uchod.

1175

Gwair tymherus,
Porfa flasus,
Cwrw da,
Gwâl gysurus.

TE: YPC 37

Arwydd ar dŷ o'r enw Drovers House yn Stockbridge, Hampshire,
a oedd ar daith y porthmyn, ac a gedwid gynt gan Gymro.

1176

Mae llawer iawn o droeon
Yn digwydd yn y byd;
Os marw wnaiff y sarjant
Mae'r *lock-up* yr un o hyd.

DT

Bronnant, Cered.

1177

Mam, mam
Magodd fi'n wan,
Magodd fi nawmis
Dan ei gwregys,
Nawmis arall
Dan ei dwylo,
Pam gadawaf
Mam yn ango?

DT

Bronnant, Cered.

1178

Pawb sydd am eu traed yn sych
Yma cewch esgidiau gwych;
Rhai i blant, ac i bob oed
Fel bo hyd a lled y troed.

GP: NCRh 4

Hysbyseb gan Thomas Twynog Jeffreys (1841–1911),
gwerthwr esgidiau, Rhymni.

1179

Pan byddw'i wedi marw
A'm henaid yn y nef,
A'm corff ar ôl hen geffyl
Mewn hers yn mynd trwy'r dref,
Bydd merched y tafarnau
Yn bloeddio ar fy ôl:
''R hen Ifan Fawr Coed Gwydir,
Tyrd yma i dalu'r sgrôl.*'

Cymru iv (1893), 188

Bardd gwlad o sir Ddinb. amdano ef ei hun.
*Ei ddyled am ddiod

1180

Priota i ddim teiler
Sy'n dringo pen tai;
Os cwympiff e lawr
Y fi gaiff y bai.

Priota i ddim coliar,
Mae hwnnw'n rhy ddu;
Fe iwsiff y sepon,
Fe drochiff y tŷ.

Resolfen, Morg.

1181

'Rhowch hi'n unplyg,'
Meddai Sam Nantbig.
'Na, rhowch hi'n ddwbwl,'
Meddai Ifan Murcwpwl.
'Mi neith y tro,'
Meddai Siôn y Go'.
'Gneith i'r dim,'
Meddai Harri Cim.

LlG 11

Wrth baratoi rhaffau i fynd i hela wyau gwylanod yng
Nghilan, Llŷn.

1182

Pedwar peth rwy'n fawr ddymuno –
Gwely clyd i fyned iddo,
Aelwyd lân a thân i ymdwymo,
Cwmni diddan i ymgomio.

CM

1183

Plans cabetsh glan Teifi,
Cafod o law neiff iddyn nhw dyfu.

Cymru lx (1921), 77

Cri hen ŵr o odre Cered. a ddôi i Dal-y-bont yng ngogledd
y sir bob blwyddyn i werthu planhigion bresych.

1184

Saith ar gloch, cawl ar tân,
Wyth ar gloch, swperu;
Naw ar gloch, edrych y da,
A deg o'r gloch i'r gwely.

LlGC (Llên Gwerin Sir Gaerf., 1895), 540

1185

Tair punt a chweigien
I ganlyn gwedd a gwagien.
Dau laeth efo uwd;
Lle da, fachgien.

Cymru i (1916), 195

Dwyrain Maldwyn

1186

Ysgol Rad, ysgol ddrud,
Ysgol sala' yn y byd.

EO: BC 51

Rhigwm a lafarganai hogiau'r dref wrth fynd heibio Ysgol
Rad Llanrwst y canwyd ei chlodydd gan Ieuan Glan
Geirionydd (Evan Evans 1795–1855).

1187

Un od yw'r dyn dierth, yntefe 'te nawr;
Mae'n od os yw'n fach, mae'n od os yw'n fawr.
Dyw'n debyg i neb o ddynion byw –
Wel nadi, wrth gwrs, dyn dierth yw.

HE/MD: FWI 109

1188

'Yes indeed' a *'No indodid'*,
Dyna Saesneg gŵr bonheddig.

DT

Llanwenog, Cered.

1189

Yr wyf yn cyhoeddi
Fod Dai William Hopci
O Landdewi-brefi
I fod yma'n pregethu
Wythnos i heddi,
Ond os gwnaiff e fethu
Cynhaliwn gwrdd gweddi
Am ddou ac am whech.

Cymru (1898), 244

Cyhoeddwr ym Mhenf.

1190

Yr Eryr, Eryres,
Mi a'th ddanfones
Dros naw môr a thros naw mynydd
A thros naw erw o goedydd,
Lle na chyfartha ci, lle na brefa buwch,
Ac na eheda Eryr byth yn uwch.

LlGC 12734, 104

Caern. Swyn i gael gwared ar yr Eryr neu Eryrod (*shingles*). Ar ôl
ei adrodd rhaid oedd cymryd 'dau welltyn rhyg a'u rhwbio'n ei
gilydd, a phoeri, a dweud y cwbl ar un gwynt'.

LlG 33, 15

1191

Tŷ a pharlwr
Fyn y gweithiwr;
Drawing-rwmsus
Gad i'r moethus.

Cymru liv (1918), 73

1192

Wrth groesi afon Cathar
Digwyddodd rhyw fistêc;
Mae rhai yn beio'r dreifer
A rhai yn beio'r brêc.
Peth od oedd gweld Jemima
Yn ishte fel hen iâr;
Ei phig yn Shir Forgannwg
A'i chynffon yn Shir Gâr.

AWC 2816/38

Un o benillion Glofa Pantyffynnon, Rhydaman, yng nghyfnod
D. R. Griffiths (Amanwy, 1882–1953). Bws a wasanaethai ardal
Garn-swllt oedd Jemima ac yn dipyn o sbort oherwydd ei
gyflwr gwael.

1193

Yn afon Pantydderwen
Aeth bedydd mawr ymla'n,
Fe olchwyd chwech ar hugen
Ond nid oedd un yn lân
Oherwydd bod John Griffiths
Yng nghornel y graig goch
Fan honno wrthi'n brysur
Yn golchi twr o foch.

AWC (Tâp 3121)

Dywedir i hyn ddigwydd yng nghyffiniau Porth-y-rhyd, Caerf.,
yn afon Gwendraeth Fach adeg Diwygiad 1904–05. Nid oedd
gan John Griffiths, meddir, lawer i'w ddweud wrth y Diwygiad.

MYNEGAI I LINELLAU CYNTAF POB PENNILL

MYNEGAI I LINELLAU CYNTAF POB PENNILL

MYNEGAI CYFFREDINOL

Cyfeirir at rif y tudalen.

Oherwydd y mynych ailadrodd ar enwau'r ysgolion yng Ngheredigion lle casglodd David Thomas (DT) ei benillion, hepgorwyd hwy yma rhag gorlethu'r Mynegai.